P9-DMO-744

আজ হিমুর বিয়ে
হুমায়ূন আহমেদ

# আজ হিমুর বিয়ে

হুমায়ূন আহমেদ

অন্যপ্রকাশ

পঞ্চদশ মুদ্রণ | একুশের বইমেলা ২০০৭
চর্তুদশ মুদ্রণ | একুশের বইমেলা ২০০৭
ত্রয়োদশ মুদ্রণ | একুশের বইমেলা ২০০৭
দ্বাদশ মুদ্রণ | একুশের বইমেলা ২০০৭
একাদশ মুদ্রণ | একুশের বইমেলা ২০০৭
দশম মুদ্রণ | একুশের বইমেলা ২০০৭
নবম মুদ্রণ | একুশের বইমেলা ২০০৭
অষ্টম মুদ্রণ | একুশের বইমেলা ২০০৭
সপ্তম মুদ্রণ | একুশের বইমেলা ২০০৭
ষষ্ঠ মুদ্রণ | একুশের বইমেলা ২০০৭
পঞ্চম মুদ্রণ | একুশের বইমেলা ২০০৭
চতুর্থ মুদ্রণ | একুশের বইমেলা ২০০৭
তৃতীয় মুদ্রণ | একুশের বইমেলা ২০০৭
দ্বিতীয় মুদ্রণ | একুশের বইমেলা ২০০৭
প্রথম প্রকাশ | একুশের বইমেলা ২০০৭



প্রচ্ছদ | সব্যসাচী হাজরা

প্রচ্ছদের আলোকচিত্র | মুনেম ওয়াসিফ

প্রকাশক | মাজহারুল ইসলাম
অন্যপ্রকাশ
৩৮/২-ক বাংলাবাজার, ঢাকা-১১০০
ফোন : ৭১২৫৮০২ ফ্যাক্স : ৮৮০-২-৯৬৬৪৬৮১

মুদ্রণ | কালারলাইন প্রিন্টার্স
৬৯/এফ গ্রীনরোড, পান্থপথ, ঢাকা

মূল্য | ১২০ টাকা

আমেরিকা পরিবেশক | মুক্তধারা
জ্যাকসন হাইট, নিউইয়র্ক

যুক্তরাজ্য পরিবেশক | সঙ্গীতা লিমিটেড
২২ ব্রিক লেন, লন্ডন, যুক্তরাজ্য

Aaj Himur Biye | by Humayun Ahmed
Published by Mazharul Islam
Anyaprokash
Cover Design : Sabyasachi Hazra
Price : Tk.120.00 only

ISBN : 984 868 415 8

উৎসর্গ করার মতো কাউকে পাচ্ছি না। সরি।

Home is the place where, when you have to go there,
They have to take you in.

(The death of the Hired Man; Robert Frost)

Home is the place where, when you have to go there,
They have to take you in.

(The death of the Hired Man; Robert Frost)

মাজেদা খালাকে আপনাদের মনে আছে তো ? কঠিন মহিলা। ইংরেজিতে এই ধরনের মহিলাদের বলে Hard Nut. কঠিন বাদাম। কঠিন বাদাম জাতীয় মানুষদের মাথায় কিছু ঢুকে গেলে বের হয় না। মাথার ভেতর ঘুরপাক খেতে থাকে। মাজেদা খালার মাথায় এখন 'বিবাহ' ঘুরপাক খাচ্ছে। তিনি আমাকে বিয়ে দেবার মহান দায়িত্ব কাঁধে নিয়েছেন। ভোরবেলাতেই টেলিফোন। তাঁর উত্তেজিত গলা।

হ্যালো! কে হিমু ? হিমু শোন, আজ তোর বিয়ে!

আমি আনন্দে খাবি খাওয়ার মতো করে বললাম, কখন বিয়ে ?

রাত ন'টার মধ্যে মগবাজারের কাজি সাহেব চলে আসবেন। লেখালেখিতে পাঁচ-দশ মিনিট যাবে। রাত দশটার মধ্যে কর্ম সমাধান। ইনশাল্লাহ।

আমি কখন আসব ?

তুই অবশ্যই আটটার আগে চলে আসবি। বাসায় এসে হট ওয়াটার শাওয়ার নিবি। পায়জামা-পাঞ্জাবি আমি আনিয়ে রাখব।

মেয়ে আসবে কখন ?

মেয়ে আসবে কখন মানে ? মেয়ে তো এসেই আছে। আমার শোবার ঘরে তালাবন্ধ করা আছে। যথাসময়ে তালা খুলে বের করা হবে।

একটু থমকে যেতে হলো। বিয়ের কনেকে তালাবন্ধ করে রাখা হয়েছে কেন বোঝা যাচ্ছে না। মাজেদা খালা কোনো একটা প্রকল্প হাতে নেবেন, তাতে রহস্য থাকবে না তা হয় না। রহস্য অবশ্যই আছে।

আমি বললাম, ঠিক সময়ে কবুল বলবে তো ?

বলবে না মানে ? থাপড়ায়ে দাঁত ফেলে দেব না! বদমেয়ে। আমাকে চেনে না। সে বুনো ওল আর আমি ঘেতুল।

ঘেতুল কী ?

ঘেতুল হলো বাঘা তেঁতুলের মা।

মেয়ের নাম কী ?

নাম রেনু।

রেনুকে পেয়েছ কোথায় ?

সে এক বিরাট ইতিহাস। এই মেয়ে ড্রাগ অ্যাডিক্ট এক ছোকরার প্রেমে হাবুডুবু খাচ্ছিল। তাকে বিয়ে করার জন্য বাড়ি থেকে পালিয়েছিল। কমলাপুর রেলস্টেশনে ধরা পড়েছে। আমি তালাবন্ধ করে রেখেছি। এখন সেই মেয়ে দরজায় মাথা ঠুকছে। শব্দ শুনতে পাচ্ছিস না ?

কাঠঠোকরা পাখি গাছে ঠোকর দিলে যেমন শব্দ হয় সে-রকম শব্দ হচ্ছে।

আমি বললাম, পাত্রী তো খুবই ভালো। আমার পছন্দ হয়েছে।

তোর পছন্দ অপছন্দ কোনো ব্যাপার না। মেয়েটাকে বদ ড্রাগ অ্যাডিক্টের হাত থেকে বাঁচানোর জন্যেই তড়িঘড়ি বিয়ের ব্যবস্থা। বুঝেছিস ?

বুঝেছি।

রেনুর সঙ্গে কথা বলবি ?

কীভাবে কথা বলব ? তুমি না বললে মেয়ে দেয়ালে মাথা ঠুকাঠুকি করছে ?

মাজেদা খালা বললেন, আধঘণ্টার মধ্যে তোর সঙ্গে কথা বলিয়ে দেব। Stand by থাক।

আমি Stand by.

মাজেদা খালা কুড়ি মিনিটের মাথায় ব্যবস্থা করে ফেললেন। কিশোরী টাইপ গলায় একটি মেয়ে বলল, অ্যাই তুই কে ?

আমি বললাম, আমার নাম হিমু।

ও আচ্ছা তুই। তুই আমাকে বিয়ে করবি ?

আমি বললাম, মাজেদা খালা চেপে ধরলে করব। আমি আবার খালার অনুরোধ ফেলতে পারি না।

রেনু বলল, আমি তোর চোখ গেলে দেব।

বাসররাতেই গেলে দিবে ? না এক দুই দিন পরে গালবে ?

আমার সঙ্গে ফাজলামি করিস ? শালা!

মেয়েদের মুখে শালা গাল সচরাচর শোনা যায় না। আমি মোহিত হয়ে গেলাম এবং কিছুক্ষণের জন্যে চুপ মেরে গেলাম।

রেনু বলল, এই শালা, কথা বলছিস না কেন ?

আমি গলার স্বর যথাসম্ভব মধুর করে বললাম, এমন রেগে যাচ্ছ কেন রেনুসোনা ? এসো স্বাভাবিকভাবে কিছুক্ষণ কথা বলি। তোমার পছন্দের রঙ কী ? তোমার রাশি কী ?

রেনু বলল, শালা, তুই একবার আয় আমার সামনে, কামড় দিয়ে তোর কান যদি আমি ছিঁড়ে না আনি তাহলে আমার নাম রেনু না। আমার নাম কেনু। শালার বাচ্চা শালা!

রেনু, তুমি সম্পর্কে গণ্ডগোল করে ফেলছ। শালার বাচ্চা শালা হবে না। ভাতিজা হবে। তুমি বলতে পার শালার বাচ্চা ভাতিজা।

চুপ।

রেনু, ধমকাধমকি করছ কেন ? মিষ্টি করে কথা বলো। স্বামী-স্ত্রীর ঝগড়া হবে বিয়ের পর। বিয়ের আগে না।

এইটুকু কথার পর বিকট শব্দ করে মোবাইল অফ হয়ে গেল। আমার ধারণা রেনু মেঝেতে ছুড়ে ফেলেছে। টেলিফোন ভেঙে টুকরা টুকরা হয়ে যাবার কথা। তা হলো না। নিশ্চয়ই দামি যন্ত্র।

কারণ কিছুক্ষণের মধ্যেই একই মোবাইল থেকে খালা টেলিফোন করলেন। তাঁর গলা খুশি খুশি। আনন্দ ঝরে ঝরে পড়ছে।

হিমু, মেয়েটার তেজ দেখেছিস ? বাঙালি মেয়ে হলে এত তেজ হতো না। হাফ বাঙলা বলেই তেজ বেশি।

আমি বিস্মিত হয়ে বললাম, হাফ বাঙলা মানে ?

বাবা আমেরিকান মা বাঙালি।

তোমার সঙ্গে পরিচয় কীভাবে ?

রেনুর বাবার সঙ্গে তোর খালু সাহেবের পরিচয়। রেনুর বাবা-মা তোর খালুকে খুব মানে।

তুমি যে আমার সঙ্গে রেনুর বিয়ের ব্যবস্থা করছ— এটা কি খালু সাহেব জানেন ? পাত্র হিসেবে আমি খালু সাহেবের পছন্দের মধ্যে পড়ি না। উনি রাজি হবেন বলে মনে হয় না।

তোর খালুকে আমি রাজি করাব। তাকে রাজি করানো কোনো ব্যাপার না। তুই রাজি কি-না বল।

খালা, আমি চার পায়ে খাড়া।

চার পায়ে খাড়া মানে কী ? মানুষের পা তো দু'টা!

আমি হামাগুড়ি দিয়ে খাড়া।

হিমু শোন, আমার সঙ্গে হাংকি পাংকি কথা বলবি না। তোর হাংকি পাংকি কথা আমি বছরের পর বছর শুনেছি। এইসব কথায় আমার কিছু হয় না। তুই তোর মোবাইলটা সারাক্ষণ সঙ্গে রাখবি। চার্জ যেন থাকে। আজ দিনের মধ্যে তোর সঙ্গে অনেকবার কথা হবে। আমি এখন রাখলাম।

প্রিয় পাঠক, যে মোবাইলে আমি কথা বলছি সেটা আমার না। যোগাযোগের যন্ত্র পকেটে নিয়ে হিমুরা ঘোরে না। হিমুরা বিশ্বাস করে, যোগাযোগ যখন হবে আপনাতেই হবে। যন্ত্র লাগবে না।

বর্তমানে যে যন্ত্র হাতে আমি ঘুরে বেড়াচ্ছি সেটা পেয়েছি মাজেদা খালার কাছ থেকে। তাঁর সংসারে যখনই কোনো নতুন জটিলতা তৈরি হয় তখনই তিনি একটা মোবাইল টেলিফোন সেট আমার জন্যে বরাদ্দ করেন। জটিলতা কেটে গেলে যন্ত্র ফেরত। তাঁর সাম্প্রতিক জটিলতা রেনুবিষয়ক। জটিলতা চলাকালীন সময়ের জন্যে আমি যোগাযোগ যন্ত্রের বরাদ্দ পেয়েছি এবং লক্ষ্মী ছেলের মতো যন্ত্র হাতে ঘুরে বেড়াচ্ছি। যখন তখন এই যন্ত্র বেজে উঠছে। কত কায়দার রিং টোনই না আছে! আমারটায় বিড়ালের ডাকের মিঁউ মিঁউ শব্দ হয়। এই শব্দে আমি এখনো অভ্যস্ত হই নি। রিং টোন বেজে উঠলেই আশেপাশে বিড়াল খুঁজি।

মিঁউ মিঁউ মিঁউ মিঁয়াও।

হ্যালো, মাজেদা খালা।

তুই কোথায় ?

একটু আগে যেখানে ছিলাম সেখানেই আছি।

একটু আগে কোথায় ছিলি ?

আমার মেসে। বিছানায় আধশোয়া অবস্থায় আছি। চায়ের জন্যে অপেক্ষা করছি। বিসমিল্লাহ রেস্টুরেন্ট থেকে কোকের বোতলে করে চা নিয়ে আসে। এখনো কেন আসছে না বুঝতে পারছি না। যে ছোকরা চা নিয়ে আসে তার নাম বাদল। সে মনে হয় ক্যাশবাক্স ভেঙে পালিয়েছে। ছোকরা মহাচোর।

এত কথা বলছিস কেন ? ভ্যাড় ভ্যাড় করেই যাচ্ছিস। একটা জরুরি কথা বলার জন্যে টেলিফোন করলাম। তুই শুরু করলি রাজ্যের কথা।

জরুরি কথাটা কী ?

তুই এক্ষুনি চলে আয়। একটা সিএনজি নিয়ে চলে আয়।

সিএনজি নিয়ে কীভাবে আসব ? ভাড়া লাগবে না ?

একটা টেক্সির ভাড়া দেয়ার টাকাও তোর কাছে নেই ?

না। টেপ-মারা একটা দশ টাকার নোট ছাড়া কিছুই নেই। সেই টেপ-মারা বস্তু কেউ নিতে চাচ্ছে না।

টেপ-মারা টাকা মানে ?

ছেঁড়া টাকা স্কচ টেপ দিয়ে জোড়া লাগানো। কেউ নিতে চায় না। ফকিরকে ভিক্ষা দিলে ফকির বলে, বাবা এইটা বদলায়ে দেন। খালা তুমি কি জানো, স্কচ টেপ মারা দশ টাকা ফকিরকে দিলে বেহেশতে তুমি এর ৭০ গুণ পাবে। সাতশ' টাকা। সবই কিন্তু স্কচ টেপ মারা টাকা।

তুই অকারণে কথা বলে যাচ্ছিস, ব্যাপারটা কী ?

যে ছেলে রাত ন'টায় বিয়ে করবে সে কি স্বাভাবিক আচরণ করবে ? সে সময় কাটাবে ঘোরের মধ্যে। বেশি কথা বলবে। বেশি হাসবে।

তুই এক্ষুনি টেক্সিতে উঠ। এক্ষুনি। এক সেকেন্ড দেরি করবি না। বিরাট সমস্যা হয়ে গেছে।

কী সমস্যা ?

হারামজাদাটা বাসার সামনের ফুটপাতে পা ছড়িয়ে বসে আছে। মনে হয় কোকেন টোকেন খাচ্ছে।

রেনুর প্রেমিকের কথা বলছ ?

হ্যাঁ। আর রেনু বলছে, তাকে যদি ছেলেটার সঙ্গে কথা বলতে না দেয়া হয় তাহলে ব্লেড দিয়ে বাম হাতের রগ কেটে স্যুইসাইড করবে।

খালা, আমি কি ব্লেড কিনে নিয়ে আসব ?

ব্লেড কিনে আনবি কী জন্যে ? তুই ঐ হারামজাদা ছেলের সঙ্গে কথা বলবি। ঐ বদকে এখান থেকে সরাবি। বকরবকর বন্ধ করে চলে আয়।

ঐ হারামজাদাটার চেহারা কেমন ?

তিনতলা থেকে চেহারা কীভাবে দেখব ? তবে বেঁটে, থলথলে মোটা, হনুমানের মতো দেখতে।

খালা, তুমি কোনো চিন্তা করবে না। আমি এক্ষুনি একহালি কলা নিয়ে চলে আসব। কলার লোভ দেখিয়ে হনুমান আউট করে নিয়ে যাব। আমি কলা নিয়ে রিকশায় উঠব। হনুমানটাও লাফ দিয়ে উঠবে। তারপর দ্রুত রিকশা চালিয়ে পগার পার।

খালার ফ্ল্যাট বাড়ির সামনে পা ছড়িয়ে হনুমানটাইপ কাউকে বসে থাকতে দেখা গেল না। এক চটপটিওয়ালা চাক্কাওয়ালা দোকান নিয়ে বসে আছে। তার হাতে

ঘন্টি। সে মাঝে মাঝে ঘন্টি বাজাচ্ছে। চানাচুরওয়ালারা ঘন্টি বাজায়। এই প্রথম চটপটিওয়ালাকে ঘন্টি বাজাতে দেখলাম। মোবাইল ফোন বের করে তার ছবি তুলে ফেললাম। মাজেদা খালার এই যন্ত্র অতি উচ্চ শ্রেণীর— একের ভেতর অনেক। ছবি তোলা যায়, কথাবার্তা রেকর্ড করা যায়, ই-মেইল পাঠানো যায়। লাইলী-মজনুর আমলে এই যন্ত্র থাকলে তাদের এত কষ্ট করতে হতো না। বর্তমানকালের প্রেমিক-প্রেমিকারা বিরাট ভাগ্য নিয়ে এসেছে। মোবাইল কোম্পানিগুলোও প্রেমের ইজারা নিয়ে নিয়েছে। প্রেমিক-প্রেমিকারা যাতে রাতভর কথা বলতে পারে তার জন্যেও কত ব্যবস্থা! কলরেট অতি সামান্য। বিশেষ বিশেষ রাতে আবার ফ্রি। মোবাইল টেলিফোন কোম্পানিগুলোর একটাই মটো— 'বাঙালি জাতি! প্রেম করো। প্রেম।' 'হে বাঙালি! প্রেমে ধর হাত মম।'

কলিংবেলে চাপ ঠিকমতো পড়ার আগেই খালা দরজা খুলে হাসিমুখে বললেন, হারামিটাকে পুলিশ ধরে নিয়ে গেছে। তোর খালু সাহেবকে টেলিফোন করেছিলাম। তাঁর এক বন্ধু আছে পুলিশ কমিশনার সাউথ। তাকে বলা মাত্র এক গাড়ি পুলিশ চলে এসেছে। হনুমানটাকে মারতে মারতে গাড়িতে নিয়ে তুলেছে। দশ মিনিট আগে এলে দৃশ্যটা দেখতে পেতি।

মজাদার দৃশ্য ?

অবশ্যই মজাদার। হনুমানটা চেঁচাচ্ছে। পুলিশের হাতেপায়ে ধরছে। পুলিশ পিটাচ্ছে। পাবলিক হাততালি দিচ্ছে।

রেনু কি দৃশ্যটা দেখেছে ?

হ্যাঁ দেখেছে। দুইজন তো একসঙ্গেই বারান্দায় এসেছি।

দৃশ্যটা দেখার পর তার রিঅ্যাকশন কী ?

মেয়ে শক্ত আছে। কোনো রিঅ্যাকশন দেখায় নি।

সে এখন কোথায় ?

গেস্টরুমে বসে আছে।

তুমি না বললে তালাবন্ধ করে রেখেছ ?

তালাবন্ধই ছিল। কিছুক্ষণ আগে তালা খুলে দিয়েছি। সে বলেছে পালিয়ে যাবে না। এই মেয়ের কথার উপর ভরসা করা যায়। তুই মেয়েটার সঙ্গে কথা বলতে চাইলে কথা বল। দেখ মেয়ে পছন্দ হয় কি-না।

খালা, একটা কথা। বিয়ের পর মেয়েটাকে আমি খাওয়াব কী ? লোকজনের পকেট থাকে গড়ের মাঠ কিংবা সোহরাওয়ার্দী উদ্যান, আর আমার তো পকেটই নেই। মাঠ তো অনেক পরের ব্যাপার।

তোর ঐ মেয়েকে খাওয়াতে হবে না। ঐ মেয়ে তোকে খাওয়াবে। মেয়ের নামে বনানী এবং বারিধারায় তিনটা ফ্ল্যাট আছে। একটাতে তোরা দুইজন থাকবি, বাকি দু'টা ভাড়া দিবি। বউয়ের পয়সায় তুই মনের আনন্দে হাঁটাহাঁটি করবি। দেশে হাঁটাহাঁটি করতে ভালো না লাগলে বিদেশে হাঁটহাঁটি করবি। সিঙ্গাপুর, মালয়েশিয়া, ব্যাংকক।

ঐ মেয়ে কি আমার সঙ্গে হাঁটবে ? না-কি বিয়ের পরেও আমাকে একা হাঁটতে হবে ?

সেটা রেনু জানে। তাকে জিজ্ঞেস কর।

মারবে না তো!

মারলে মার খাবি। শুধু পুরুষরাই বউ পিটিয়ে যাবে কেন ? বউরাও স্বামী পিটাবে।

আমি গেস্টরুমের দিকে এগুলাম। গেস্টরুমের দরজা খোলা। স্কার্ট পরা তরুণী বসে আছে। তরুণীর মুখ দেখা যাচ্ছে না। পা দেখা যাচ্ছে। সে পা দোলাচ্ছে। পা দোলানো থেকে একজন মানুষের মনের অবস্থা বলা কি সম্ভব ? মন শান্ত মানুষ যে ভঙ্গিতে পা দোলায় অশান্ত মানুষ কি সেইভাবেই দোলায় ? এই বিষয়ে কোনো গবেষণা কি হয়েছে ?

ডেমোগ্রাফি
মানব মনের গতিপ্রকৃতি এবং পদ সঞ্চালন

আমি ঘরে উঁকি দিলাম। যথাসম্ভব বিনীত গলায় বললাম, ওহে! (হ্যালোর বাংলা বললাম।)

রেনু চমকে তাকাল। আমি তার দিকে তাকিয়ে স্তম্ভিত হয়ে গেলাম। স্তম্ভিত শব্দের অর্থ স্তম্ভের মতো। কেউ যখন কোনো বিশেষ দৃশ্য দেখে স্তম্ভের মতো নড়নচড়ন বন্ধ করে দেয় তাকেই বলা হয় স্তম্ভিত। স্তম্ভিত না বলে আমরা খাম্বিতও বলতে পারি। খাম্বিত মানে খাম্বার মতো হয়ে যাওয়া।

আমার খাম্বিত হবার প্রধান কারণ মেয়েটির রূপ। রবীন্দ্রনাথ ঠিক এই ধরনের কোনো একটা মেয়েকে দেখে লিখেছিলেন—

মুখের পানে চাহিনু অনিমেষে
বাজিল বুকে সুখের মতো ব্যথা।

প্রাচীন কবি-সাহিত্যিকরা হাস্যকর ভঙ্গিতে মেয়েদের রূপ বর্ণনা করেছেন— কমলার কোয়ার মতো ঠোঁট, ইঁদুরের দাঁতের মতো দাঁত, বাঁশের

কঞ্চির মতো নাক...। মতো মতো করে সৌন্দর্য ব্যাখ্যা করা যায় না। সব সৌন্দর্যে ব্যাখ্যাতীত কিছু ব্যাপার থাকে। রবীন্দ্রনাথ ব্যাপারটা বুঝেছিলেন বলেই ব্যাখ্যায় না গিয়ে বলেছেন— বাজিল বুকে সুখের মতো ব্যথা।

রেনু শান্ত গলায় বলল, আপনি কে ?

এই মেয়েই টেলিফোনে আমাকে 'শালার বাচ্চা শালা' বলেছে এটা বিশ্বাস করা শক্ত। মিষ্টি কিশোরী কণ্ঠ। আমি বললাম, আমার নাম হিমু।

মেয়ে চমকাল না। সহজ ভঙ্গিতে তাকিয়ে রইল। সকালবেলায় এই মেয়ে তুই তুই করে গালাগালি করেছে। দ্রুত এই পরিবর্তন কী করে হলো ? এই জন্যেই কি কবি বলেছেন— দেবা না জানন্তি কুত্রাপি মনুষ্যা ?

এখানে কী চান ?

আমি তোমার জন্যে একটা জিনিস নিয়ে এসেছি।

রেনু বলল, আমি কি আপনাকে কিছু আনতে বলেছি ?

আমি বললাম, তুমি বলো নি। তবে আমি মাজেদা খালার কাছে শুনলাম, ব্লেডের অভাবে তুমি হাতের রগ কাটতে পারছ না। আমি ব্লেড নিয়ে এসেছি। দুই কোম্পানির ব্লেড এনেছি। তোমার যেটা পছন্দ রাখ।

আমি ব্লেড এগিয়ে দিলাম। মেয়েটির যথেষ্ট পরিমাণেই বিস্মিত হবার কথা। তা না হয়ে সে স্বাভাবিক গলায় বলল, Will you please sit down ?

মেয়েটির সামনের বেতের চেয়ারে বসলাম। এখন সে তীক্ষ্ণদৃষ্টিতে আমাকে দেখছে। তার পা দোলানো বন্ধ। আমাদের মধ্যে কিছু কথাবার্তা হলো। সে প্রতিটি কথাই বলল ইংরেজিতে। আমি তার বঙ্গানুবাদ দিয়ে দিলাম।

তুমি কি সেই ব্যক্তি যে আমাকে বিয়ে করবে ?

হ্যাঁ।

তোমার স্পর্ধা দেখে অবাক হচ্ছি।

অবাক হবার কিছু নেই। বামুনরাই চাঁদ ধরতে চায়। লম্বা মানুষরা চায় না।

রেনু বলল, বামুন এবং লম্বা কেউ কিন্তু চাঁদ ধরতে পারে না।

আমি বললাম, সেটা চাঁদের জন্যে দুঃখের ব্যাপার। সে ধরা দিতে চায়, অথচ কেউ ধরতে পারে না।

রেনু বলল, চাঁদ কখনো ধরা দিতে চায় না। ধরা দিতে চাইলে সে নিজেই নিচে নেমে আসত। সে কখনো তা করে না।

তুমি তো করেছ। এক ড্রাগঅ্যাডিক্টকে বিয়ে করার জন্যে নেমে এসেছ।

আমি কাকে বিয়ে করতে চাই সেটা আমার ব্যাপার। সোসাইটির এখানে কোনো দায়িত্ব নেই।

সোসাইটির দায়িত্ব অবশ্যই আছে। তুমি যদি HIV Positive কাউকে বিয়ে করতে চাও সোসাইটির উচিত সে বিয়ে আটকানো।

কেন আটকাবে ?

আটকাবে, কারণ সোসাইটি নিজেকে প্রটেক্ট করতে চাইবে। সে কখনো চাইবে না HIV Positive-এর সংখ্যা বাড়তে থাকুক।

আমি তোমার সঙ্গে তর্কে যাচ্ছি না। তোমার জানার জন্যে বলছি, আমি ভালো তর্ক জানি।

আমার মনে হয় না তুমি ভালো তর্ক জানো। যারা তর্ক জানে তারা গালাগালি জানে না। তার্কিকদের গালাগালি প্রয়োজন হয় না বলেই তারা জানে না। তর্কক্ষমতাশূন্য মানুষরাই গালাগালি করে জিততে চেষ্টা করে।

তুমি কি দয়া করে আমার ঘর থেকে বের হবে ? তুমি একজন শালার বাচ্চা।

শালার বাচ্চা কিন্তু গালি না। Dog গালি, ডগের বাচ্চা Puppy গালি না। আদরের ডাক।

তর্ক বন্ধ করো এবং বিদেয় হও। আমি এক থেকে তিন গোনার মধ্যে। নয়তো কামড় দিয়ে আমি তোমার কান খেয়ে ফেলব।

আমি দাঁড়াতে দাঁড়াতে বললাম, তোমার প্রেমিকের সঙ্গে কিছুক্ষণের মধ্যেই আমার দেখা হবে। তুমি কি আমার মাধ্যমে তাকে কোনো ইনফরমেশন পাঠাতে চাও ? এই সুযোগ বিয়ের পরে পাবে না। বিয়ের পর আমার সামনে হনুমানটার নামও নিতে পারবে না। স্বামীরা খুব জেলাস হয়। ভালো কথা, হনুমানটার নাম কী ?

হনুমান মানে ? হনুমান কী ?

তোমার প্রেমিকের কথা বলছি। শুনেছি সে দেখতে হনুমানের মতো। তার পছন্দের খাবারও না-কি কলা ?

One, Two,...

থ্রি বলার আগেই আমি বের হয়ে এলাম। এই মেয়ে কামড় দিয়ে কান ছিঁড়ে ফেলতে পারে। একে বিশ্বাস নেই।

মাজেদা খালা আমার অপেক্ষায় ড্রয়িংরুমে বসেছিলেন। তাঁর চোখেমুখে প্রবল কৌতূহল। আমি তাঁর কাছে আসার আগেই তিনি গলা নামিয়ে ফিসফিস করে বললেন, বউ কেমন দেখলি ?

আমি বললাম—

কে বলে শারদশশি সে মুখের তুলা
পদনখে পড়ে আছে তার কতগুলা।

খালা ভ্রু কুঁচকে বললেন, তার মানে ?

আমি ব্যাখ্যায় গেলাম, প্রাচীন কবি ভারতচন্দ্র প্রেমিকার রূপ বর্ণনা এইভাবে করেছেন। তিনি বলেছেন— কোন মূর্খ বলছে মেয়েটি শরৎকালের চন্দ্রের মতো সুন্দর ? এরকম কিছু চন্দ্র তো তার পায়ের নখের কাছেই দাঁড়াতে পারে না।

খালা আনন্দিত মুখে বললেন, মেয়েটা আসলেই অতিরিক্ত সুন্দর। এমন রূপবতী একটা মেয়ে হাতছাড়া করা ক্রাইম। আমার এমনই কপাল, বিয়ের কোনো পাত্রও হাতে নেই। বাধ্য হয়ে তোর সঙ্গে বিয়ে দিচ্ছি। আমাকে একটা থ্যাংকস দে।

থ্যাংক য়ু। আচ্ছা খালা, আমি কি শ্বশুর-শাশুড়ি ছাড়া বিয়ে করব ?

শ্বশুর কোথায় পাবি ? তোর শ্বশুর আমেরিকায়। ওদের ছাড়াছাড়ি হয়ে গেছে। শাশুড়ি অবশ্যি ঢাকায় আছে। সেও মরমর, ভয়াবহ অ্যাজমা। এখন অ্যাপোলো হাসপাতালের কেবিনে আছে।

উনার নাম-ঠিকানা দাও। দেখা করে আসি। কদমবুসি করে দোয়া নিয়ে আসি।

সত্যি যাবি ?

অবশ্যই যাব। আমি আদর্শ জামাই।

তার সঙ্গে উল্টাপাল্টা কথা বলবি না কিন্তু। ঠাট্টা মশকরাও করবি না।

খালা, তুমি নিশ্চিত থাক। রেনুর মা তাঁর মেয়ের জামাই পছন্দ করবেন।

কাগজ-কলম আন, ঠিকানা লিখে দিচ্ছি।

আমি কাগজ-কলম আনতে গিয়ে গেস্টরুমে আরেকবার উঁকি দিলাম। রেনু ঠিক আগের জায়গায় বসে আছে। তার সামনে আমার নিয়ে আসা দু'টা ব্লেড। তার মুখে বিচিত্র হাসির আভাস। রবীন্দ্রনাথের ভাষায়—

কাহারো হাসি ছুরির মতো কাটে
কাহারো হাসি অশ্রুজলের মতো।

মেয়েটির হাসি অবশ্যই অশ্রুজলের মতো।

রেনুর আমাকে দেখতে পাওয়ার কথা না, তারপরেও দেখে ফেলল। কঠিন গলায় বলল, তুই আবার এসেছিস ?

আমি বিনীত ভঙ্গিতে বললাম, একটা বিশেষ কাজে এসেছি। দু'টা ব্লেড তো তোমার লাগবে না। একটা ব্লেডেই কাজ হবে। অন্যটা আমাকে দিয়ে দাও। আমি তোমার প্রেমিককে দিয়ে আসব। একটা ব্লেড দিয়ে তুমি রগ কাটবে, অন্যটা দিয়ে সে। সময় ঠিক করা থাকবে। একই সময়ে রগ কর্তন অনুষ্ঠান।

রেনু ইংরেজিতে বলল, তুমি সার্কাসের ক্লাউন ছাড়া কিছুই না। আমি ক্লাউন পছন্দ করি না।

ক্লাউন কিন্তু সবাই পছন্দ করে। হুতোম প্যাঁচা কেউ পছন্দ করে না।

তোর কাছে সিগারেট আছে ?

না।

আমাকে এক প্যাকেট সিগারেট আর একটা লাইটার এনে দিতে পারবেন ?

অবশ্যই পারব। তুমি কিন্তু তুই-আপনি-তুমির মধ্যে ভজঘট পাকিয়ে ফেলছ। একটা সেটেলমেন্টে আসো— তুই-তুমি-আপনির মধ্যে যে-কোনো একটা বেছে নাও।

Get lost.

সিগারেট কোন ব্র্যান্ডের কিনব ?

Any brand will do.

টাকা দাও।

এক প্যাকেট সিগারেট কেনার টাকাও কি তোমার কাছে নেই ?

না।

এই অবস্থায় বিয়ে করতে চাচ্ছ ?

বিয়ে করতে টাকা লাগবে না। বিয়ের খরচ মাজেদা খালা দেবেন।

Get lost.

সিগারেট আনতে হবে না ?

না।

বাকিতে কিনে এনে দেই। টাকা পরে দিও।

তুমি এই মুহূর্তে আমার সামনে থেকে বিদেয় হবে।

আমি বের হয়ে এলাম। খালা রেনুর মা কোন হাসপাতালে আছেন, কেবিন নাম্বার কত লিখে দিলেন। সেই সঙ্গে চামড়ায় বাঁধানো একটা খাতা ধরিয়ে দিলেন। রেনুর ডায়েরি, তিনি চুরি করেছেন। নিজের কাছে রাখতে ভরসা পাচ্ছেন না।

খালা গলা নামিয়ে বললেন, ডায়েরিতে অনেক খোলামেলা কথা লেখা। তুই কিন্তু পড়বি না। তোর মন খারাপ হবে।

মন খারাপ, মন ভালোর কোনো সিস্টেম আমার মধ্যে নেই। স্বামী হিসেবে স্ত্রীর ডায়েরি পড়া আমার কর্তব্য। অতীত জানতে হবে না? মেয়েটাকে টাইটে রাখতে হবে। তুলসি দাস বলেছেন, ঢোল এবং স্ত্রী এই দুই শ্রেণীকে সবসময় মারের উপর রাখতে হবে।

খালা বললেন, তুলসি দাসটা কে?

আমি বললাম, কবি। তুমি চিনবে না। ভালো কথা, তুমি বিয়ের খরচ হিসেবে কিছু টাকা দাও। হাত খালি।

খালা একটা পাঁচশ' টাকার নোট দিলেন।

আমি খাতা এবং পাঁচশ' টাকার নোট বগলদাবা করে বের হয়ে এলাম।

এক প্যাকেট সিগারেট এবং একটা লাইটার কিনে আবার ফিরে গেলাম। স্ত্রীর নেশার বস্তু স্বামী জোগাড় করে না দিলে কে দেবে?

রেনু ঠিক আগের জায়গাতেই আছে। একই ভঙ্গিতে পা দোলাচ্ছে। আমি তার পাশে সিগারেটের প্যাকেট এবং লাইটার রাখলাম। সে সঙ্গে সঙ্গে সিগারেট ধরাতে ধরাতে বলল, থ্যাংক য়্যু।

আমি বললাম, তোমাকে কি একটা হাসির গল্প বলব? তোমার সেন্স অব হিউমার কেমন আমার জানা দরকার।

আমার সেন্স অব হিউমার দিয়ে তোমার প্রয়োজন কী?

বিয়ের পর আমি হাসির গল্প করব আর তুমি মুখ ভোঁতা করে থাকবে এটা ঠিক না।

রেনু তাকালো আমার দিকে। তবে আমার কথা সে শুনতে পেয়েছে এরকম মনে হলো না। আমি বললাম, কী বলছি মন দিয়ে শোন। এক ছেলে ক্লাস সিক্সে পড়ে। ফাইনাল পরীক্ষা হয়ে গেছে। রেজাল্ট আউট হবে। সে খুবই চিন্তিত...

রেনু বলল, দয়া করে চুপ করবে?

আমি চুপ করলাম। রেনু বলল, তোমার এই মাজেদা খালা কি মানসিকভাবে অসুস্থ?

কেন বলো তো ?

এই মহিলা ধরেই নিয়েছে আজ রাতেই সে আমাকে বিয়ে দিয়ে দেবে। এটা কি সম্ভব ?

আমি বললাম, অবশ্যই সম্ভব। বিয়ে খুবই সহজ ব্যাপার। তিনবার শুধু কবুল বলবে। আর কিচ্ছু না। তিনবার কবুল বলতে সময় লাগবে তিন সেকেন্ড। রাত দশটার মধ্যে তিনবার কবুল বলার সময় কি হবে না ?

রেনু বলল, Get lost.

আমি বললাম, সিগারেটের টাকাটা দাও আমি চলে যাই। একশ' টাকা দিলেই হবে।

রেনু টাকা বের করে দিল। তার ঠোঁটের ফাঁকে বিচিত্র হাসির আভাস। এই হাসির অর্থ কী কে জানে!

রেনুর চামড়া বাঁধানো খাতাটাকে কিছুতেই ডায়েরি বলা যাবে না। খিচুড়ি খাতা বলা যেতে পারে। যেখানে অংক আছে, ছবি আঁকা আছে, ধাঁধা আছে। ফাঁকে ফাঁকে মন্তব্য। উদ্ভট কিছু বিষয়ও আছে, যার রহস্য বের করা অসম্ভব। যেমন—

৭+৩ = ১২ (হা হা হা)
১২+৩ = ০ (আবার হা হা হা)

এক পাতায় লেখা—

পৃথিবীর সর্বকালের সর্ব বোকা দুই রমণীর নাম—

১. আমার মা
২. আমি নিজে

রেনুর নিজের নাম নিয়েও অনেক চিন্তাভাবনা আছে। সে নিজের নাম লিখেছে—

Ray-নু

এই বানানের নামের ব্যখ্যাও আছে—

Ray-নু অর্থাৎ রশ্মিনু অর্থাৎ রশিনু অর্থাৎ রসুন।

মনস্তত্ত্ববিদরা রেনুর খিচুড়ি খাতা থেকে তার মানসিকতা বিষয়ে অনেককিছু পেলে পেতে পারেন। আমি তেমন কিছু পেলাম না। মেয়েটা যে-কোনো কারণে তার মায়ের উপর রেগে আছে, এটা বোঝা যায়। কয়েক পাতা পরপরই সে তার মায়ের বিষয়ে লিখেছে। কঠিন সব মন্তব্য। যেমন—

**আমার মা**

চেহারা : জঘন্য। (প্লাস্টিক সার্জারি করা উচিত।)
স্বভাব : জঘন্যের নিচে। (স্বভাব বদলানোর জন্যে তাঁকে বিহেভিয়ারেল ট্রেনিংয়ে পাঠানো উচিত।)
বুদ্ধি : অতি নিম্ন পর্যায়ের (IQ লেভেল বোয়াল মাছের কাছাকাছি।)

আরেক জায়গায় লেখা—

**কখন আমি মাকে সহ্য করতে পারি**

ক. যখন তিনি সারা শরীর চাদরে ঢেকে ঘুমান।

খ. যখন তিনি বাথরুমে থাকেন এবং বাথরুমের দরজা বন্ধ থাকে।

গ. যখন তিনি অসুস্থ হয়ে হাসপাতালে পড়ে থাকেন।

**আমার মায়ের রান্না**

পানি গরম করা ছাড়া অন্য কোনো রান্না মা জানেন না। আলু ভর্তা নামক একটা বস্তু মা রান্না করেন। এই বস্তু মুখে দিলেই মুখ বিস্বাদ হয়ে যায়।

**সঙ্গীত শিল্পী মা**

মা মাঝে মাঝে খালি গলায় গান করার চেষ্টা করেন। রবীন্দ্রনাথের গান। ভাগ্যিস রবীন্দ্রনাথ বেঁচে নেই। বেঁচে থাকলে মা'র গান শুনে ফাঁসির দড়িতে ঝুলে পড়তেন। মা'কে পুলিশ ধরে নিয়ে যেত মানুষকে আত্মহত্যার দিকে প্ররোচিত করার জন্যে।

**মা'র ভণ্ডামি**

মা'র ধারণা তিনি বিরাট একজন পামিস্ট। হাত দেখে মানুষের ত্রিকাল বলে দিতে পারেন। কী হাস্যকর!

রেনুর খাতার কয়েক পাতা যে পড়বে তার প্রথম ইচ্ছা হবে, তার মা'কে দেখার। আমার আগ্রহ আরো বেশি— এই মহিলা আমার শাশুড়ি হলেও হতে পারেন। ভদ্রমহিলা হাসপাতালে পড়ে আছেন। অনেকদিন কোনো হাসপাতালে যাওয়া হয় না।

বিজ্ঞান দ্রুত এগুচ্ছে। একটা সময় আসবে যখন মানুষ জীবাণুদের কথা বুঝতে পারবে। হাসপাতাল ভ্রমণ তখন হবে অতি আনন্দময় অভিজ্ঞতার একটি। ধরা যাক, একজনের টাইফয়েড হয়েছে। আমি গেলাম তাকে দেখতে। জীবাণুদের কথাবার্তা শোনার জন্যে যন্ত্রপাতি ফিট করা হয়েছে। আমি রোগীর পাশে দাঁড়িয়ে বললাম, হ্যালো।

জীবাণুদের লিডার বলল, Get lost. বন্ধুর কাছ থেকে বিদেয় নিয়ে বাড়ি যাও। তোমার বন্ধুর সময় শেষ। আমরা তাকে প্রায় কব্জা করে ফেলেছি।

ওষুধ তো দেয়া হচ্ছে। এত সহজে কব্জা করলে কীভাবে?

যে ওষুধ দেয়া হচ্ছে, সেটা কাজ করছে না। আমরা নিজেদেরকে খানিকটা বদলেছি। একে বলে Mutation. জ্ঞান বিজ্ঞানে শুধু তোমরা এগুবে আমরা পিছিয়ে থাকব তা হবে না।

বেচারা কষ্ট পাচ্ছে।

সে যতটুকু কষ্ট পাচ্ছে আমরা ততটুকুই আনন্দ পাচ্ছি। দুই মিলিয়ে সমান সমান। তুমি শুধু তোমার স্বজাতির কষ্ট দেখবে, আমাদের আনন্দ দেখবে না? তোমরা মানুষরা যেমন প্রকৃতির সন্তান, আমরাও প্রকৃতির সন্তান। জগতের আনন্দযজ্ঞে আমাদের সবার সমান অধিকার।

এতটুকু বলেই জীবাণুরা শুরু করল জীবাণু সঙ্গীত—

আমরা শক্তি আমরা বল
আমরা জীবাণু দল
মোদের পায়ের তলায় মূর্ছে মানব
ঊর্ধ্বে কাঁপে রক্তদল।
আমরা জীবাণু দল।

বড়লোকদের অসুখ-বিসুখ হওয়াও আনন্দের ব্যাপার। তাদের হাসপাতালগুলি সুন্দর। ডাক্তার-নার্সদের চেহারা সুন্দর। কেবিন দেখে মনে হয় ফাইভ স্টার হোটেলের স্যুইট। প্রতিটি কেবিনে নিঃশব্দ এসি। চোখের সামনে রঙিন টিভি। বিছানার পাশে ফলের স্তূপ। ফুলের তোড়া। তোড়ার পাশে গেটওয়েল কার্ড। দর্শনার্থীদের জন্যে গদিওয়ালা চেয়ার। অর্থ অসুখের মতো বাজে ব্যাপারকেও আনন্দময় করে দেয়।

রেনুর মা'র কেবিনে আমি অনেকক্ষণ হলো দাঁড়িয়ে আছি। কেবিনের সাজসজ্জা দেখে মুগ্ধ হচ্ছি। রোগী ঘুমুচ্ছেন। রোগী দেখতে অবিকল রেনুর মতো। যেন দুই যমজ বোন, কোনো এক বিচিত্র কারণে একজনের বয়স বেড়ে গেছে।

রেনুর মা'র ঘুম ভাঙল। তিনি অবাক হয়ে অতি মিষ্টি গলায় বললেন, অ্যাই ছেলে, তুমি কে?

আমি বললাম, আপনি তো দেখতে অবিকল আপনার মেয়ের মতো। শুধু আপনার গায়ের রঙটা একটু শ্যামলার দিকে।

ভদ্রমহিলা বললেন, তোমার নাম কি হিমালয় ? ডাকনাম হিমু ?

আমি হ্যাঁ-সূচক মাথা নাড়লাম।

ভদ্রমহিলা বললেন, মাজেদা আপা টেলিফোনে তোমার কথা বলেছেন। আমি তোমাকে দেখার জন্যে অপেক্ষা করছিলাম। দাঁড়িয়ে আছ কেন ? বোস।

আমি বসলাম। ভদ্রমহিলা আগ্রহ নিয়ে আমাকে দেখছেন। তাকে তেমন অসুস্থ মনে হচ্ছে না। তবে তিনি হা করে নিঃশ্বাস নিচ্ছেন। নাকে অক্সিজেনের নল দেয়া। হা করে নিঃশ্বাস নেয়ার কিছু নেই।

তোমাকে কি আগে কখনো দেখেছি ?

দেখেন নি।

এত চেনা চেনা লাগছে কেন ?

আমার চেহারা খুবই কমন। এই জন্যে চেনা চেনা লাগছে। আপনাকেও আমার চেনা চেনা লাগছে।

ভদ্রমহিলা হাসতে হাসতে বললেন, আমার চেহারাও কি কমন ?

আপনাকে চেনা চেনা লাগছে কারণ আপনাকে দেখার আগে আপনার মেয়েকে দেখেছি। আপনাদের দু'জনকে একই ছাঁচে বানানো হয়েছে।

তুমি কী করো ?

আমি একজন হণ্টক।

হণ্টক মানে ?

আমি শুধু হাঁটি। এই জন্যে হণ্টক।

শুধু হাঁটো ? আর কিছু করো না ?

জি-না।

ভদ্রমহিলা হেসে ফেললেন। যেন কিছু না করে হাঁটার ব্যাপারটার মজা ধরতে পারছেন। তিনি হাসতে হাসতেই বললেন, তুমি যে আমার মেয়েকে বিয়ে করবে— তোমার সংসার কী করে চলবে ?

আমি আপনার কাছ থেকে টাকা ধার করে একটা বেবিটেক্সি কিনব। বেবিটেক্সির পেছনে বড় বড় করে লিখব— 'শাশুড়ির দোয়া'। সেই বেবিটেক্সি চালাব। 'মায়ের দোয়া' সাইনবোর্ড নিয়ে ঢাকা শহরে অনেক বেবিটেক্সি চলে।

এই প্রথমবার 'শাশুড়ির দোয়া' লেখা সাইনবোর্ড সবাই দেখবে। এই বেবিট্যাক্সিতে চড়ার জন্যে লাইন লেগে যাবে।

ভদ্রমহিলা কিছুক্ষণ চোখ বড় বড় করে তাকিয়ে রইলেন, তারপর হাসতে শুরু করলেন। এত আনন্দময় হাসি আমি অনেকদিন দেখি নি। কিশোরীদের মতো খিলখিল করে হাসছেন। চোখে পানি জমছে। সেই পানি চকচক করছে। তিনি অনেক কষ্টে হাসি থামিয়ে বললেন, কাছে এসে বোস। এত দূরে বসেছ কেন ?

আমি চেয়ারটা তাঁর বিছানার কাছে নিয়ে গেলাম। ভদ্রমহিলা বললেন, আরো কাছে আসো। আমি আরো কাছে গেলাম।

রেনুর সঙ্গে কি তোমার কথা হয়েছে ?

জি হয়েছে।

আমার মেয়েটা সুন্দর না ?

খুব সুন্দর।

এরকম সুন্দরী মেয়ে কি তুমি এর আগে দেখেছ ?

জি দেখেছি।

কোথায় দেখেছ বলো তো।

একটা ইংরেজি ছবিতে দেখেছি। ছবিটার নাম মনে নেই।

গল্পটা মনে আছে ?

গল্প মনে আছে। গল্পে মেয়েটা রেলস্টেশনে বসে আছে। হাতে একটা ঝুড়ি। ঝুড়িভর্তি আপেল। কারো জন্যে অপেক্ষা করছে। এদিকে ওদিকে তাকাচ্ছে। ব্ল্যাক এন্ড হোয়াইট ছবি।

আমার মেয়ে কি তোমাকে পছন্দ করেছে ?

আমাকে 'শালা' বলে গালি দিয়েছে। এটা পছন্দের লক্ষণ কি-না জানি না। আপনার মেয়ে, আপনি ভালো বলতে পারবেন।

ভদ্রমহিলা আবার হাসতে শুরু করলেন। উনার মনে হয় হাসি রোগ আছে। হাসার মতো উপলক্ষ নিশ্চয়ই তেমন পান না। হঠাৎ হঠাৎ যা পান সেটা কাজে লাগান। রেনু তার খাতায় যে মায়ের কথা লিখেছে সেই মা নিশ্চয়ই অন্য কেউ।

হিমালয় ?

জি।

আমার মেয়েটা ভয়ঙ্কর খারাপ একটা ছেলের পাল্লায় পড়েছে। হিরোইন অ্যাডিক্ট একটা ছেলে। ছেলেটা তার নিজের জীবন তো নষ্ট করছেই, আমার মেয়ের জীবনটাও নষ্ট করছে। রেনু যে কত ভালো একটা মেয়ে তা তোমাকে বলে বোঝাতে পারব না। আচ্ছা তুমি কি সত্যিই কিছু করো না?

আমি জবাব না দিয়ে হাসলাম। এই হাসির ইংরেজি নাম নন কমিটাল হাসি। যে হাসি হ্যাঁ না কোনো কিছুই বোঝায় না।

ভদ্রমহিলা শুয়ে ছিলেন, এইবার উঠে বসলেন। নাকে লাগানো নল খুলে পড়ল। তা নিয়ে তিনি মাথা ঘামালেন না।

হিমালয়, তোমার ডান হাতটা দেখি। হাতের রেখাগুলো দেখব।

আপনি হাত দেখতে জানেন?

হাত দেখার অনেকগুলো বই পড়েছি— বেনহাম, কিরো। মানুষের ভাগ্য যে হাতে লেখা থাকে— এটা আমি পুরোপুরি বিশ্বাস করি। রেনুর হার্ট লাইন গ্রিডল এবং আইল্যান্ডে ভর্তি। আমি জানতাম সে এরকম সমস্যায় পড়বে। আমি তোমার হাত দেখে যা বলব সব মিলে যাবে। তুমি টেবিলের উপর থেকে আমার কালো ব্যাগটা দাও।

আমি ভদ্রমহিলার কালো হ্যান্ডব্যাগ এগিয়ে দিলাম। তিনি ব্যাগ খুলে ম্যাগনিফাইং গ্লাস বের করলেন। হাত দেখার বিষয়টা এই মহিলা সিরিয়াসলি নিয়েছেন তা বোঝা যাচ্ছে। চিকিৎসার জন্যে হাসপাতালে ভর্তি হওয়া মানুষের সঙ্গে হাত দেখার ম্যাগনিফাইং গ্লাস থাকার কথা না। হাসপাতালে তিনি কার হাত দেখবেন? ডাক্তারদের? না-কি নার্সদের?

মাউন্ট অব জুপিটারে ক্রশ চিহ্ন আছে। এই চিহ্নটা বেশ খারাপ। শুধুমাত্র মাউন্ট অব জুপিটারে এই চিহ্ন শুভ।

এই চিহ্ন থাকলে কী হয়?

কী হয় পরে বলছি। সবার আগে তোমাকে যা বলা দরকার তা হলো, তোমার হাতে আছে অতি সুন্দর একটা সুলেমান'স রিং। এত স্পষ্ট রিং আমি আগে আর কারো হাতে দেখি নি। সুলেমানের নাম তো জানো?

জানি। কিং সুলেমান। আমাদের নবীদের একজন। সেবার রাণীকে বিয়ে করেছিলেন। রাণীর নাম বিলকিস।

তিনি যে জ্বিনদের তাঁর অধীনে নিয়ে এসেছিলেন এটা জানো?

জি জানি।

কী জানো বলো তো শুনি।

জ্বিনদের দিয়ে কিং সুলেমান অনেক কাজ করাতেন। জ্বিনদের বুদ্ধি-সুদ্ধি অনেক কম বলে সুলেমানের মৃত্যু হবার পরেও তারা কিছু বুঝতে পারে নি। কাজ করেই যাচ্ছে। সুলেমানের লাঠিতে একসময় ঘুণপোকা ধরল। তখনো জ্বিনের দল কাজ করে যাচ্ছে। তখন একটা ঘুণপোকা জ্বিনদের বলল, তোমরা এখনো কাজ করছ? তোমাদের কর্তা তো বহু আগে মারা গেছেন। তখন বেকুব জ্বিনরা কাজ বন্ধ করে চলে গেল।

ভদ্রমহিলা অবাক হয়ে বললেন, এই গল্প কোথায় শুনেছ?

আমি বললাম, আমাদের কোরান শরিফে আছে। সূরা সাবা।

ভদ্রমহিলার চোখে মুগ্ধতার ঝিলিক দেখলাম। মেয়েদের একটা স্বভাব হচ্ছে, একবার কোনো কারণে যদি তারা মুগ্ধ হয়ে যায় তাহলে সে মুগ্ধ হতেই থাকে। এখন আমি যদি এই মহিলার সঙ্গে অন্যায় কোনো আচরণ করি, তিনি সেই আচরণেরও সুন্দর ব্যাখ্যা বের করবেন এবং আবারো মুগ্ধ হবেন। ছেলেদের ভেতর এই আচরণ দেখা যায় না। তারা মুগ্ধ হতে চায় না। কোনো কারণে মুগ্ধ হয়ে গেলে প্রাণপণ চেষ্টা করে মুগ্ধতা কাটিয়ে উঠতে।

হিমালয়!

জি।

তোমার হাতে সুলেমান রিং খুব স্পষ্ট। তার মানে কী জানো?

না।

তার মানে তোমার প্রচণ্ড আধ্যাত্মিক ক্ষমতা আছে। Intutive power আছে। ভবিষ্যতে যে ঘটনা ঘটবে তা আগেভাগে বলার ক্ষমতা আছে। এখন তুমি বলো তো— আজ রাতে কি সত্যি রেনুর বিয়ে হবে? তোমার যা মনে আসে সেটা বলো।

আজ রাতেই বিয়ে হবে।

আমার মেয়ে রাজি হবে বিয়েতে?

আনন্দের সঙ্গে রাজি হবে।

আরো যদি কিছু বলতে চাও তাহলে বলো। আমি নিশ্চিত তুমি যা বলবে তাই হবে। চিন্তা-ভাবনা করে কিছু বলতে হবে না। যা মনে আসে তাই বলো।

রেনুর বিয়েতে তার বাবা-মা দু'জনই উপস্থিত থাকবেন।

ভদ্রমহিলা অবাক হয়ে বললেন, ওর বাবা কীভাবে আসবে ? সে তো এখন নিউ অর্লিন্সে।

উনি কোথায় আমি জানি না, তবে আমার মন বলছে বিয়েতে উনি উপস্থিত থাকবেন।

তোমার এই কথাটা মিলবে না। রেনুর বাবার সঙ্গে আমার গত দশ বছর দেখা হয় নি। টেলিফোনে কথাও হয় নি। আমাদের ছাড়াছাড়ি হয়ে গেছে। তোমাকে কি এই খবর দেয়া হয়েছে ?

খবরটা আমি জানি।

রেনুর বাবা তোমাকে দেখলে খুশি হতো। সেও তোমার মতো হন্টক। সে একবার কী করেছিল জানো ? নিউ অর্লিন্স থেকে হেঁটে মন্টানা গিয়েছিল। তার খুব ইচ্ছা ছিল বাংলাদেশের টেকনাফ থেকে হেঁটে তেতুলিয়া পর্যন্ত যাবে।

হাঁটলেন না কেন ?

আমি রাজি হলাম না, এই জন্যে বেচারার হাঁটা হলো না। সে আবার আমাকে ছাড়া হাঁটতে রাজি না।

হাঁটা ছাড়া তিনি আর কী করেন ?

নিউ অর্লিন্স স্টেট ইউনিভার্সিটিতে ইংরেজি সাহিত্য পড়ায়। আমি তার ইউনিভার্সিটিতে Ph.D করতে গিয়েছিলাম। সেখানেই আমাদের পরিচয়। সে ছিল আমার গাইড। ভালো কথা, বিড়াল মিঁউমিঁউ করছে কোথায় ?

আমার পকেটে।

সে-কী! তুমি পকেটে বিড়াল নিয়ে ঘোরো না-কি ?

আমি মোবাইল ফোন বের করলাম। খালু সাহেব টেলিফোন করেছেন। তাঁর গলার স্বর বরফের চেয়েও দশ ডিগ্রি নিচে।

হিমু!

Yes sir. বান্দা হাজির।

Stop. ইয়ারর্কি করবে না। তুমি এই মুহূর্তে আমার অফিসে আসো।

এই মুহূর্তে তো আসতে পারব না। আমি একজন মহিলার সঙ্গে কথা বলছি। আজ রাত দশটার পর তাঁকে আমার মা ডাকতে হতে পারে। তার প্রিপারেশন নিচ্ছি।

ইউ স্টুপিড! এক্ষুনি আসো।

আজ আমার বিয়ের দিন। বিয়ের দিন আমাকে বকাবকি করবেন না।

বিয়ে মানে ? তোমার খালার এইসব ফাজলামি আমি সহ্য করব ? তোমার মতো একটা ভ্যাগাবন্ডের সঙ্গে রেনুর বিয়ে ? বদমাইশ কোথাকার! তোমার খালা বললেই হবে ? রেনুর মা তোমাকে দেখলে স্যান্ডেল দিয়ে পেটাবে— এটা জানো ?

খালু সাহেব, রেনুর মা আমাকে খুবই পছন্দ করেছেন। অনেকক্ষণ আমার ডান হাত ধরে বসেছিলেন।

তোমার ডান হাত ধরে বসেছিলেন! ফাজলামি করো ?

ফাজলামি করব কেন ? উনি আমার সামনেই আছেন। আপনি কথা বলবেন ? নিন কথা বলুন।

খালু সাহেব টেলিফোন লাইন কেটে দিলেন।

রেনুর মা আবারো তাঁর বিখ্যাত হাসি হাসতে শুরু করেছেন। হাসির কারণে এবার চোখ দিয়ে পানি পড়ছে। অনেক কষ্টে হাসি থামিয়ে বললেন, হিমু, আমাকে টেনে তোলো তো। পায়ে জোর পাচ্ছি না।

আমি তাঁকে টেনে তুললাম। তিনি বললেন, রাত দশটার জন্যে অপেক্ষা করার দরকার নেই। তুমি এখন থেকেই আমাকে মা ডাকবে।

অবশ্যই ডাকব।

অবশ্যই ডাকব বলে চুপ করে আছ কেন ? ডাকো।

মা! মা! মা!

থ্যাংক য়্যু। নিশ্চয়ই তোমাকে আমি আগে কোথাও দেখেছি। মনে করো তো। তোমার মনে করতে হবে না। আমার নিজেরই মনে পড়বে। কী ব্যাপার হাসছ কেন ?

আপনার কাণ্ডকারখানা দেখে হাসছি।

আমাকে তোমার পছন্দ হয়েছে ?

খুব পছন্দ হয়েছে। আপনার মতো চমৎকার একজন মানুষকে রেনুর বাবা পছন্দ করলেন না কেন ভেবে অবাক হচ্ছি।

আমার মেয়েও আমাকে পছন্দ করে না। তার ধারণা আমি পৃথিবীর সবচে' বোকা মহিলা। রেনু সবসময় বলে, যে-মহিলা বাবার মতো মানুষকে ধরে রাখতে পারে না সে মহা মহা বোকা।

স্বামীকে ধরে রাখতে বুদ্ধি লাগে না।

কী লাগে বলো তো ?

ভালোবাসা।

রেনুর মা ছোট্ট নিঃশ্বাস ফেলে বললেন, ঐ জিনিসের অভাব আমার কখনো ছিল না। এখনো নেই।

আবার মিঁউমিঁউ শব্দ। এবার টেলিফোন করেছেন মাজেদা খালা।

হিমু, এক্ষুনি বাসায় চলে আয়।

কেন ?

তোর পায়ের মাপ লাগবে না ? জুতা কিনতে হবে। তুই কি বিনা জুতায় বিয়ে করবি ? এটা ছাড়াও ব্যাপার আছে।

কী ব্যাপার ?

রেনু তোর সঙ্গে কথা বলতে চায়। টেলিফোনে কথা বলবে না। সামনাসামনি কথা বলবে।

মারবে না তো ?

শুধু শুধু মারবে কেন ? মেয়েটার মন এখন একটু ভালো। সে তার বাবার সঙ্গে কথা বলেছে। বাবা টেলিফোন করেছেন KLM-এর এয়ারক্রাফট থেকে। তিনি বাংলাদেশে আসছেন।

পৌঁছবেন কখন ?

সন্ধ্যা ছ'টায়।

আমি হাওউই এর বেগে চলে আসছি।

ভালো কথা, তুই কি তোর খালু সাহেবের সঙ্গে কথা বলেছিস ?

হুঁ। উনি অফিসে যেতে বলেছেন।

খবরদার যাবি না। টেলিফোন করলেও ধরবি না।

টেলিফোন ধরব না কেন ?

তোর উপর ভয়ঙ্কর রেগে আছে।

এটা তো নতুন কিছু না, উনি সবসময় আমার উপর রেগে থাকেন।

রেনুর সঙ্গে তোর বিয়ে হবে— এটা সে নিতেই পারছে না। সে চেষ্টা করছে বিয়ে ভণ্ডুলের।

শুনেছি 'বিবাহ' ব্যাপারটা আল্লাহপাক নিজে কন্ট্রোল করেন। খালু সাহেব চেষ্টা করেও ভণ্ডুল করতে পারবেন না। তাই না ?

এত প্রশ্নের জবাব দিতে পারব না। রাখলাম।

খালা লাইন অফ করে দিলেন।

আমি রেনুর মা'র দিকে তাকিয়ে বললাম, রেনুর বাবা আজ সন্ধ্যা ছ'টায় ঢাকা এয়ারপোর্টে পৌঁছবেন।

ভদ্রমহিলা কোনো কথা বললেন না। চুপ করে থাকলেন। একসময় লক্ষ করলাম, তাঁর চোখ দিয়ে পানি পড়ছে। তিনি অশ্রু গোপন করার কোনো চেষ্টাই করলেন না। আমি বললাম, উনাকে একটা সারপ্রাইজ দিলে কেমন হয়? আমরা দু'জন এয়ারপোর্টে চলে গেলাম উনাকে আনতে।

আমার পক্ষে সম্ভব না।

ইচ্ছা করলেই সম্ভব। চলুন একটা অ্যাম্বুলেন্স নিয়ে চলে যাই? আপনি অ্যাম্বুলেন্সে শুয়ে থাকবেন। অ্যাম্বুলেন্সের ভেতরই আপনাকে স্যালাইন দেয়া হবে। অক্সিজেন দেয়া হবে। আমি এয়ারপোর্ট থেকে উনাকে সরাসরি অ্যাম্বুলেন্সে ঢুকাব। উনাকে দেখে আপনি চাপা গলায় বলবেন— এতদিন কোথায় ছিলে?

রেনুর মা বললেন, বাবা তুমি কিছু মনে করো না। আমি কিছুক্ষণ একা থাকব। তুমি একজন ডাক্তারকে আমার কাছে পাঠাও। আমার শ্বাসকষ্ট হচ্ছে। ঘরের বাতিটাও নিভিয়ে দাও।

আমি বাতি নিভিয়ে দিলাম। তিনি বিড়বিড় করে বললেন— আঁধার আমার ভালো লাগে।

আমি বসে আছি খালু সাহেবের মতিঝিলের অফিসে। একালের তরুণদের ভাষায়— জোস অফিস। দেয়ালে কামরুল হাসানের আঁকা লজ্জাবতী বাঙালি ললনা পর্যন্ত আছে। খালু সাহেবের মুখভঙ্গি যথেষ্ট কঠিন। মনে হয় ঠোঁট বন্ধ করে দাঁতে দাঁত ঘসছেন। তাঁর হাতে চুরুট। চুরুট ধরানো হয় নি। তিনি যে পরিমাণে রেগে আছেন আমার আশঙ্কা চুরুটে আপনাআপনি আগুন ধরবে। লাইটারের সাহায্য লাগবে না। চুরুটে কখন আপনাআপনি আগুন ধরে যায় সেই দৃশ্য দেখার জন্যে আমার দৃষ্টি চুরুটের দিকে।

তুমি তাহলে বিয়ে করছ?

জি।

জানতে পারি কেন?

সংসারধর্ম পালন করা দরকার। সব ধর্মের সার ধর্ম— সংসারধর্ম।

সংসার শব্দের তুমি অর্থ জানো?

আমি বিনয়ের সঙ্গে বললাম, সংসার শব্দের অর্থ হলো পৃথিবী।

পৃথিবী? সংসার শব্দের অর্থ পৃথিবী?

আমি বললাম, জি খালু সাহেব। আপনি শুধু শুধু রাগ করছেন। যে-কোনো বাংলা অভিধান খুলে দেখুন, সংসারের অর্থ দেয়া আছে পৃথিবী। এই জন্যে কবি বলেছেন— 'বৃথা জন্ম এ সংসারে'। অর্থাৎ বৃথাই এ পৃথিবীতে জন্ম।

রাগে খালু সাহেবের মুখ লালচে হয়ে গেছে। কপালে বিন্দু বিন্দু ঘাম। তিনি বেল টিপে পিয়ন ডাকলেন। তাকে দিয়ে ডিকশনারি আনালেন। মনে হচ্ছে আজ একটা হেস্তনেস্ত হবে। খালু সাহেব ডিকশনারির পাতা উল্টে সংসার শব্দের অর্থ বের করলেন এবং আরো রেগে গেলেন।

তুমি সংসারধর্ম পালন করার জন্যে বিয়ে করবে?

জি খালু সাহেব। সংসারধর্ম অর্থাৎ পৃথিবীর ধর্ম। পৃথিবীর প্রতি আমার মমতা আছে বলেই এই ধর্মপালন।

রেনুর জুতার শুকতলির যোগ্যতাও যে তোমার নেই তা জানো ?

জানতাম না, এখন জানলাম। তবে আপনি তুলনায় সামান্য ভুল করছেন। একটা জুতার শুকতলির সঙ্গে অন্য একটা জুতার শুকতলির তুলনা চলবে। মানুষের সঙ্গে চলবে না। একজন মানুষকে অন্য একজনের সঙ্গে তুলনা করতে হবে।

তুমি নিজেকে মানুষ ভাবছ কোন বিবেচনায় ? একজন সিরিয়াল কিলার কি মানুষ ?

খালু সাহেব, আমি এখনো একটা খুনও করি নি। সিরিয়াল কিলার হতে হলে ধারাবাহিক খুন করে যেতে হবে।

তোমার সঙ্গে কথা চালাচালি আমি করব না। আমার একটাই কথা, বিয়ের চিন্তা বাদ দেবে। বিয়ে তোমার জন্যে না।

একজন ভিখিরিও তো কোনো এক শুভ দিন দেখে বিয়ে করে। রিকশা ভাড়া করে কনের বাড়িতে বিয়ে করতে যায়। বিয়ের পরদিন থেকে স্বামী-স্ত্রী দু'জন পাশাপাশি দাঁড়িয়ে ভিক্ষা করে। ভিক্ষা করার ফাঁকে ফাঁকে দু'জন দু'জনের দিকে মায়া মায়া দৃষ্টিতে তাকায়।

ভাবের কথা বন্ধ। আমি তোমাকে নগদ দশ হাজার টাকা দিচ্ছি। টাকা নিয়ে কিছুদিন ঢাকার বাইরে চলে যাও।

আমি বললাম, প্রস্তাব লোভনীয়। কিন্তু খালু সাহেব, এতদূর এসে পিছিয়ে যাওয়া তো সম্ভব না।

এতদূর এসে মানে ? তুমি কতদূর এসেছ ?

এক ছটাক হলুদ কিনে ফেলেছি। মেসে যাব, গায়ে গুঁড়া হলুদ ডলে গোসল দেব। গায়ে হলুদ। পুরো কাজটা একাই করতে হবে। আমার তো বন্ধুবান্ধব নেই যে গায়ে হলুদ ডলাডলি করবে।

আমার উচিত গর্ত খুঁড়ে তোমাকে পুঁতে ফেলা।

আমি গলা নামিয়ে বললাম, খালু সাহেব, চা খাব। আপনিও এক কাপ খান। মেজাজটা ঠাণ্ডা করুন। আমার বিয়েতে আপনার এত আপত্তি কেন ?

তোমার বিয়ে করাতে আমার আপত্তি নেই। রেনুকে বিয়ে করার ব্যাপারে আপত্তি। তুমি যাও একটা ফকিরনি বিয়ে করো। তারপর দিনরাত দু'জনে মিলে হাঁটো।

চা দিতে বলবেন না ?

খালু সাহেব জবাব দিলেন না। সত্যি সত্যি দাঁত কিড়মিড় করতে লাগলেন। দাঁতের অবস্থা ভালো না থাকলে দুই একটা দাঁত পড়ে যেত। মাশাল্লাহ তাঁর দাঁতের অবস্থা ভালো।

আমি কি চলে যাব ?

খালু সাহেব আবারো দাঁত কিড়মিড় করলেন, তবে এবার আমার দিকে না তাকিয়ে। মনে হচ্ছে তিনি কোনো এক দন্তভাষা আবিষ্কার করে ফেলেছেন। কথা হচ্ছে দাঁতে দাঁতে।

বিয়েতে উপস্থিত থাকবেন তো, না-কি তাও থাকবেন না ?

খালু সাহেব খাঁটি ব্রিটিশ উচ্চারণে বললেন, Get lost you idiot.

আমি উঠে দাঁড়ালাম। খালু সাহেবের ইংরেজি গালির বাংলা মানেটা ভালো লাগছে। 'ওহে গর্ধব হারিয়ে যাও।'

মানব সম্প্রদায়ের সব সদস্যের একটাই আকাঙ্ক্ষা। হারিয়ে যাওয়া। সবাই হারিয়ে যেতে চায়। হারিয়ে যাবার মতো জায়গাটা কোথায়!

পার্কিং লটে খালু সাহেবের ড্রাইভার মকবুল পালকের ঝাড়ন দিয়ে গাড়ি ঝাড়পোছ করছে। প্রাডো নামের এই জিপ গাড়ি খালু সাহেব নতুন কিনেছেন। ড্রাইভার মকবুলের দায়িত্ব দিনের মধ্যে বেশ কয়েকবার পালকের ঝাড়ন দিয়ে গাড়ি ঝাড়পোছ করা। কাজটা সে আনন্দের সঙ্গেই করে। আমি আড়াল থেকে শুনেছি, ঝাড়পোছ করতে করতে সে গাড়ির সঙ্গে কথাও বলে। যেমন— কিরে আজ তোর শরীরের অবস্থা কী ? আজ সাভার যেতে হবে। শরীরের উপর ধকল যাবে। আগেভাগে বলে দিলাম।

আমি মকবুলের দিকে তাকিয়ে বললাম, গাড়ি বের করো তো।

ভাইজান! স্যার কি বের হবেন ?

আমি বললাম, স্যার বের হবেন না, আমি বের হবো। তেল আছে তো ?

তেল পুরা টেঙ্কি আছে।

ভালো হয়েছে, খালু সাহেব সারাদিনের জন্যে এই গাড়ি আমাকে ধার দিয়েছেন। আজ রাতে আমার বিয়ে, খবর পেয়েছ না ?

মকবুল দাঁত বের করে বলল, খবর জানি।

বিয়ের বাজার-টাজার করব, গাড়ি দরকার।

অবশ্যই।

খালু সাহেব যে এককথায় গাড়ি আমার হাতে সারাদিনের জন্যে ছেড়ে দেবেন ভাবাই যায় না।

মকবুল বলল, স্যারের মিজাজ বেশি, তয় লোক খারাপ না।

তুমি যাও খালু সাহেবের কাছে জেনে আস— গাড়ি নিয়ে যেতে পারবে কি-না।

মকবুল বিস্মিত হয়ে বলল, আপনে বলার পর আবার জিজ্ঞেস করা লাগব! কী কন আপনে!

সে গাড়িতে উঠে স্টার্ট দিল। আমরা ঝড়ের বেগে বের হয়ে গেলাম। বিশাল জিপে চলার আনন্দই আলাদা। নিজেকে রাজপথের রাজা মনে হয়। সিএনজি বেবিটেক্সি দেখা মাত্রই চাপা দিতে ইচ্ছা করে। বিশেষ করে সেইসব সিএনজি যার পেছনে লেখা— 'আমি ছোট আমাকে মেরো না'। আরে ব্যাটা, ছোট বলেই তো মার খাবি। বড় ছোটকে মারবে— এটা জগতের প্রাকৃতিক নিয়ম। Survival for the fittest. বড় fit, ছোট না। পশ্চাৎদেশে সাইনবোর্ড লাগিয়ে লাভ হবে না, ছোটকে মার খেতেই হবে।

মকবুল!

জি হিমু ভাই।

দুই একটা গাড়িকে পেছন থেকে ধাক্কা দিলে কেমন হয়?

আপনে বললে দিব। আমাদের গাড়ির বাম্পার খুবই স্ট্রং, ধাক্কা দিলে আমাদের কিছু হবে না।

সুবিধামতো গাড়ি দেখতে পেলে তোমাকে বলব। পেছন থেকে হেভি ধাক্কা দিবে।

যখন বলবেন তখনই ধাক্কা।

গাড়ি ধাক্কা দেয়ার অনুমতি পাওয়ায় মকবুলকে খুবই আনন্দিত মনে হলো। আমি বললাম, মানুষ যেন না মারা যায়।

মানুষ মরবে না, তবে গাড়ি ভচকায়া দিব ইনশাল্লাহ। আপনে যাবেন কই?

দুই পুরিয়া হিরোইন কিনব। কোথায় পাওয়া যায় বলো তো।

সত্যি কিনবেন?

অবশ্যই।

টাইট হইয়া বইসা থাকেন, আপনেরে আসল জায়গায় নিয়া যাব। পচা বাবার কাছে যাব। খাঁটি জিনিস পাইকারি দরে পাবেন। আগে যে স্যারের আন্ডারে ছিলাম তাঁর জন্যে প্রায়ই আনতে হইত।

গাড়ি পচা বাবার সন্ধানে চলছে, আমি অতি নরম গদিতে গা এলিয়ে দিয়েছি। আরামে চোখ বন্ধ হয়ে আসছে। পকেটের মোবাইল মিঁউ মিঁউ করেই যাচ্ছে। ধরতে ইচ্ছা করছে না। শেষ পর্যন্ত ধরলাম। মাজেদা খালার টেলিফোন।

হ্যালো হিমু, খবর শুনেছিস ?

কোন খবর ?

তোর খালুর প্রাডো গাড়ি চুরি হয়ে গেছে।

বলো কী ?

মকবুল ড্রাইভার গাড়ি নিয়ে ভেগে গেছে। এতদিনের বিশ্বাসী ড্রাইভার। পাঁচ বছর ধরে তোর খালুর সঙ্গে আছে।

আমি বললাম, বিশ বছর সংসার করার পর স্বামী স্ত্রীকে ফেলে ভেগে যায়, স্ত্রী স্বামীকে ফেলে ভেগে যায়। ড্রাইভারের দোষ কী!

স্বামী স্ত্রীর সেপারেশন এককথা, ড্রাইভারের সঙ্গে সেপারেশন ভিন্ন কথা।

তাও ঠিক। গাড়ি চুরির খবর পুলিশকে জানিয়েছ ?

তোর খালু নিশ্চয়ই জানিয়েছে। বেচারা মুষড়ে পড়েছে।

মুষড়ে পড়ারই কথা। এত শখের গাড়ি।

তোকে আসতে বললাম, আসছিস না কেন ?

ছোটখাট দু'একটা কাজ সেরেই চলে আসছি। রেনু কি তালাবন্ধ অবস্থায় আছে ?

হুঁ। ওর ভাবভঙ্গি ভালো মনে হচ্ছিল না। এই জন্যেই তালা।

সে বাবাকে রিসিভ করতে এয়ারপোর্টে যাবে না ?

পাগল! তাকে ঘর থেকেই বের হতে দেয়া হবে না।

খালা, রেনুর বাবার নাম কী ?

তার বাবার নাম দিয়ে তুই কী করবি ?

কী আশ্চর্যের কথা, শ্বশুরের নাম জানব না ? সন্ধ্যা ছটার সময় আমি একটা সাইনবোর্ডে উনার নাম লিখে এয়ারপোর্টে দাঁড়িয়ে থাকব। অতি সম্মানে শ্বশুর আব্বাকে গাড়ি করে ঢাকা শহরে নিয়ে আসব।

সত্যি যাবি ?

অবশ্যই। জামাই যখন হতে যাচ্ছি তখন জামাইয়ের শেষ দেখে ছাড়ব। উনাকে এয়ারপোর্টেই কদমবুসি করব। কদমবুসির পর মোসহাবা করব, তারপর কোলাকুলি।

তোর কথাবার্তার ভঙ্গি ভালো লাগছে না। বাসায় চলে আয় তো।

খালা, সামান্য দেরি হবে। বিশেষ একটা কাজে যাচ্ছি। পচা বাবার দোয়া নেব, তারপর অন্য কথা।

পচা বাবাটা কে ?

আছেন একজন। তরুণ যুব সম্প্রদায়কে শান্তির পুরিয়া বিলি করেন। বিশিষ্ট সমাজসেবক। ভেজালমুক্ত শান্তি পুরিয়া একমাত্র তাঁর কাছেই পাওয়া যায়। অন্য কোনো বাবার কাছে গেলে ভেজাল দুই নম্বরি জিনিস দিয়ে দিবে।

খালা বিরক্ত হয়ে বললেন, আমি তোর অর্ধেক কথার কোনো মানেই বুঝি না। বিড়বিড় করে কী বলিস হাবিজাবি। টেলিফোন রাখলাম।

খালু সাহেবের সঙ্গে কথা বলা দরকার। বেচারা নিশ্চয় গাড়ির শোকে কাতর হয়ে আছে। নতুন গাড়ি স্ত্রীর অধিক। গাড়িতে রিকশার আঁচড় লাগলে সেই আঁচড় কলিজাতেও লাগে। স্ত্রীর গায়ে রিকশার আঁচড় লাগলে স্বামীর তেমন কিছু হয় না।

খালু সাহেব, আপনার না-কি গাড়ি চুরি গেছে ?

হুঁ।

আপনার হাতের কাছে কি নিয়ামুল কোরান বইটা আছে ?

কেন ?

ঐ বই-এ হারানো বস্তু ফিরিয়া পাইবার আমল দেয়া আছে। অজু করে ঐ আমলটা করে দেখতে পারেন। মানুষের মৃত্যুসংবাদ পেলে যে দোয়াটা পড়তে হয়— ইন্না লিল্লাহে ওয়া ইন্না ইলাইহে রাজেউন। এই দোয়া হারানো বস্তুর বেলায় খুব কাজ করে। হারানো মানুষ ফিরে আসে না, কিন্তু বস্তু ফিরে আসে।

হিমু Listen, আমি কী করব তার পরামর্শ তোমাকে দিতে হবে না।

গাড়ি হারানোতে আমি আপনার চেয়েও মর্মাহত। আশা ছিল আপনার গাড়িতে চড়ে বরযাত্রী যাব। বর রিকশায় চড়ে বিয়ে করতে যাচ্ছে— দৃশ্যটা ভালো না। রিকশাওয়ালাও বিয়ে করার সময় সিএনজি টেক্সি ভাড়া করে।

খালু সাহেব ‘Get lost’ বলে টেলিফোনের লাইন কেটে দিলেন। ড্রাইভার মকবুল বলল, গাড়ি চুরির কথা কী বললেন বুঝলাম না।

আমি বললাম, সবকিছু বোঝার প্রয়োজন নেই মকবুল। কম বুঝতে পারার মধ্যে শান্তি আছে। পাগলদের দিকে তাকিয়ে দেখ। তারা কিছুই বুঝে না বলে মহাশান্তিতে আছে।

কথা সত্য বলেছেন। ভাইজান, সামনের প্রাইভেট কারটাতে একটা ছোটখাট ধাক্কা দিব ? নজর কইরা দেইখা তারপরে বলেন। আমি তৈয়ার আছি।

আমি মকবুলের কথামতো নজর করে দেখলাম। চারজন তরুণ-তরুণীর দল। পেছনের দু'জন লটকালটকি করছে। জানালার কাচ খোলা। বিকট শব্দে গান বাজছে। হার্ড রক নামের বস্তু। ড্রাইভারের সিটে যে বসেছে সে গানের তালে স্টিয়ারিং-এ মাথা ঠুকছে। ঢাকা শহরে এমন দৃশ্য আগে দেখা যেত না। এখন দেখা যাচ্ছে। আমি হাই তুলতে তুলতে বললাম, ছোটখাট ধাক্কা একটা দিতে পার।

মকবুল মনের আনন্দে ধাক্কা দিল। তরুণ-তরুণীর দল হতভম্ব। প্রাইভেট কারের তরুণ ড্রাইভার ঘাড় ঘুরিয়ে তাকাল। চোখ-মুখ খিঁচিয়ে বলল, এই শুয়ার কি বাচ্চা!

আজকালকার তরুণরা ইংরেজি গালি ভালো দেয়, এ হিন্দিতে গালি দিচ্ছে কেন বোঝা গেল না।

মকবুল বলল, স্যার আরেকটা দেই ?

আমি বললাম, দাও।

দ্বিতীয় ধাক্কার পর তাদের ভীতি চরমে উঠল। তারা এখন অতি দ্রুত গাড়ি চালাচ্ছে। পালিয়ে যেতে পারলে বাঁচে এমন অবস্থা। মকবুল বলল, পিছে পিছে যাব স্যার ?

যাও।

প্রাইভেট কার দ্রুত ডানদিকে ঢুকে গেল। আমরাও ডানদিকে ঢুকলাম। ওরা গাড়ির গতি বাড়াচ্ছে। আমরাও বাড়াচ্ছি। ওরা লেফট টার্ন নিয়ে গলিতে ঢুকে পড়ল। আমরাও গলিতে ঢুকলাম। মাইকেল মধুসূধনের ভাষায়— 'হে পামর! পালাবি কোথায় ? যেথায় পশিবি তুই, পশিব সে দেশে।'

আমি বললাম, আরাম পাচ্ছ মকবুল ?

মকবুল সব ক'টা দাঁত বের করে বলল, বিরাট আরাম পাইতেছি ভাইজান। পনেরো বছর ধইরা গাড়ির ড্রাইভারি করতেছি, এমন আরাম পাই নাই। আরেকটা ধাক্কা দিব ?

দাও। দানে দানে তিন দান।

এইবার একটু পাওয়ারের ধাক্কা দেই ?

দাও।

তৃতীয় ধাক্কা দেবার পর গাড়ি সামান্য এগিয়ে থেমে গেল। আমরাও তাদের পাশে গাড়ি থামালাম। প্রাইভেট কারের তরুণ-তরুণীরা উদ্বিগ্ন চোখে তাকাচ্ছে। এরা যথেষ্টই ভয় পেয়েছে। এ সময়ের তরুণরা সাহসী কর্মকাণ্ড করে, তবে এরা সাহসী না। আমি জানালার কাচ নামিয়ে বললাম, তোমরা ভালো আছ ?

কেউ জবাব দিল না।

আমি বললাম, গাড়ি বন্ধ করলে কেন ? চালাও। নাকি আমরা ধাক্কাতে ধাক্কাতে নিয়ে যাব ? সেই ক্ষেত্রে গিয়ার নিউট্রালে দিয়ে রাখ।

প্রাইভেট কারের চালক বলল, Who are you ?

আমি বললাম, তুমি নিজেই আন্দাজ কর আমি কে ?

আমাদের কাছে কী চান ?

তোমাদের সঙ্গে গল্প করতে চাই।

তারা মুখ চাওয়া-চাওয়ি করল।

তোমাদের মধ্যে কেউ গল্প জানো ? যে-কোনো একটা গল্প বললেই হবে। টোনাটুনির গল্প বললেও হবে।

পেছনের সিটের মেয়েটা বলল, Leave us alone.

আমি বললাম, তোমরা গাড়ি স্টার্ট কর। আমরা লাস্ট একটা ধাক্কা দিয়ে টেনে বের হয়ে যাব।

গাড়ির চালক বলল, ধাক্কা কেন দেবেন জানতে পারি ?

আমি বললাম, সবাইকে দেখিয়ে তোমরা যে লদকালদকি করছ এটা পছন্দ হচ্ছে না। তোমাদের কুৎসিত কর্মকাণ্ডের সামান্য প্রতিবাদ।

পেছনের সিটের মেয়েটা বলল, সরি।

তুমি একা সরি বললে তো হবে না। সবাইকে একসঙ্গে সরি বলতে হবে।

সবাই একসঙ্গে বলল, সরি।

আমরা গাড়ি নিয়ে বের হয়ে গেলাম। মকবুল দাঁত বের করে বলল, বিরাট মজা পাইলাম ভাইজান।

আমি বললাম, মজার যে একটা অঙ্ক আছে সেটা জানো ?

জি-না।

জটিল অঙ্ক না, সহজ অঙ্ক। আবার বুঝতে না পারলে ভয়ঙ্কর জটিল।

বুঝায়া বলেন।

আজকের এই ঘটনায় তুমি যতটুকু মজা পেলে প্রাইভেট কারের যাত্রীরা ততটুকুই বেমজা পেল। দু'টা মিলে কাটাকাটি। বুঝেছ?

বুঝলাম।

একদল আনন্দ পেলে আরেকদলকে সেই পরিমাণ নিরানন্দের ভেতর দিয়ে যেতে হবে। বিজ্ঞানের ভাষায় Conservation of আনন্দ। পৃথিবীতে আনন্দ এবং দুঃখ সবসময় থাকবে সমান সমান। একজন কেউ চরম আনন্দ পেলে অন্য একজনকে চরম দুঃখ পেতে হবে।

পচা বাবার সঙ্গে দেখা হলো। বয়স নব্বুইয়ের কাছাকাছি। ত্রিমাথার বুড়ো। দুই হাঁটুর মাঝখানে মাথা গুঁজে বসে আছে। দুশ' টাকায় দুই পুরিয়া দিল। ফোকলা দাঁতে হাসতে হাসতে বলল, আসল জিনিস। খাইয়া মজা পাইবেন। খাইতেই থাকবেন খাইতেই থাকবেন— মজার উপরে মজা।

আমি বললাম, এত মজার জিনিস! আপনি কখনো খেয়েছেন?

বুড়ো কাশতে কাশতে বলল, না গো বাবা। আমি খাই নাই। আমি আসল মজার জন্যে অপেক্ষায় আছি।

আসল মজাটা কী?

আসল মজা হইল মরণ। মরণের উপরে কোনো মজা নাই।

বুঝলেন কীভাবে? এখনো তো মরেন নাই।

আমার মতো বয়স তোমার যখন হইব, তুমিও বুঝবা মরণের উপরে মজা নাই।

মরণ খুবই মজা?

অবশ্যই।

মরতে ইচ্ছা করে?

বৃদ্ধ দীর্ঘসময় চুপ করে থেকে বলল, না।

না কেন?

আসল মজা যত পরে আসে তত ভালো। আপনের পরিচয় কী?

যে আপনার কাছে পুরিয়া কিনতে আসে তার পরিচয় জানতে ইচ্ছা করে?

না।

তাহলে আমার পরিচয় জানতে চান কেন?

তুমি মেলা বাকোয়াজ করতেছ এই জন্যে। তোমার নাম কী?

হিমু।

এটা তো মেয়েছেলের নাম।

হতে পারে। মেয়েছেলেরাও কি আপনার কাছে পুরিয়া নিতে আসে?

আসে। কম আসে। মেয়েছেলেরা এই জিনিস কম খায়। তারা স্বামী-পুত্রের জন্যে পুরিয়া কিনে। তুমি কি সংবাদের লোক?

সংবাদের লোক ভয় পান?

না। বৃদ্ধ বয়সে মানুষের আক্কেল কমে, জ্ঞান কমে, চউখের দৃষ্টি কমে, তার সাথে ভয়ও কমে। আমি কাউরে ভয় পাই না।

একটু আগে বললেন, মেয়েছেলেরা স্বামী-পুত্রের জন্যে পুরিয়া কিনে। কেন এই কাজটা করে?

না কইরা উপায় আছে? নিশা যখন উঠে তখন স্বামী-পুত্র ছটফট করে, শরীর যায় ফুইল্যা, মুখ দিয়া ফেনা ভাঙে। এই কষ্ট দেখনের চেয়ে পুরিয়া কিন্যা দেওন ভালো।

আপনার ছেলেমেয়ে কী?

মেয়ে নাই, তিন ছেলে। তিনটাই হিরুচি।

হিরুচি কী?

যারা হিরুইন খায় তারারে বলে হিরুচি।

আপনার তিনপুত্রই হিরুচি?

জি। তারার মৃত্যুও ঘনায়া আসছে। তিনটাই ঘরে শুইয়া আছে। ছবি তুলবেন? আপনে যদি পত্রিকার লোক হন, ছবি তুলেন। ছাপায়া দেন।

ছবি ছাপিয়ে লাভ কী?

লাভ লোকসান আপনেরা বুঝবেন। আমার তিন হিরুচি পুলা আছে। সারাদিন তিন ভাই পুটলা পাকায়া শুইয়া থাকে। ছবি তুলনের এমন জিনিস পাইবেন না। সক্কালে তিনটা তিন পুরিয়া খাইছে। সইন্ধ্যা কালে আবার খাইব। যান ছবি তুইল্যা আনেন।

আমি ছবি তুলতে গেলাম। মাজেদা খালার দেয়া মোবাইল টেলিফোনে ছবিও উঠে। নোংরা দুর্গন্ধ ঘর। প্রস্রাবের বিকট গন্ধ। তার সঙ্গে যুক্ত হয়েছে ভাত পচার মিষ্টি গন্ধ। টিনের ছাপড়া। একটা জানালা আছে। জানালা বন্ধ। মেঝেতে চাটাই বিছানো। চাটাইয়ে দু'জন ঘুমাচ্ছে। প্রস্রাবের গন্ধ এদের গা থেকেই আসছে। দু'জনের মুখই হা হয়ে আছে। হা করা মুখের সামনে মাছি

ভনভন করতে অনেক দেখেছি। এখানে বিচিত্র দৃশ্য দেখলাম— মাছি মুখের ভেতর ঢুকে যাচ্ছে এবং বের হচ্ছে। জীবন্ত মানুষের হা করা মুখে মশা-মাছি কখনো ঢুকে না। মৃত মানুষদের মুখে ঢুকে। হিরোইনের ঘুমে ঘুমন্ত মানুষকে মশা-মাছি মৃত মনে করছে এটা বিস্ময়কর ঘটনা। হিরোইনসেবীরা কি এই তথ্য জানে ?

তিন ভাইয়ের একভাই দেয়ালে হেলান দিয়ে বসা। সে তাকিয়ে আছে আমার দিকে। আমি ছবি তুলছি, সে দেখছে কিন্তু কোনো প্রশ্ন করছে না। আমি বললাম, ভালো আছেন ? সে হ্যাঁ-সূচক মাথা নাড়ল।

আপনার নাম কী ?

সে ঠোঁট নাড়ল। কী বলল বোঝা গেল না।

আপনি বিবাহ করেছেন ?

সে আবারো হ্যাঁ-সূচক মাথা নাড়ল।

ছেলেমেয়ে আছে ?

সে দুই আঙুল তুলে দেখাল। দু'জন আছে এটা বুঝতে পারছি। ছেলে না মেয়ে বোঝা যাচ্ছে না।

ছেলেমেয়েরা কোথায় ?

এই প্রশ্নের উত্তরে সে স্পষ্ট করে বলল, চইল্যা গেছে। বলেই শুয়ে পড়ল। পারকিনসন্স ডিজিজের রোগীর যেভাবে হাত কাঁপে সেইভাবে তার হাত কাঁপছে। এই কাঁপুনি ছড়িয়ে পড়ছে তার শরীরে। একসময় অবাক হয়ে দেখলাম, তার পুরো শরীরই কাঁপছে। বিশেষ ছন্দে কাঁপছে। সে এখনো তাকিয়ে আছে আমার দিকে। চোখ বড় বড় করে তাকিয়ে আছে। কিন্তু কিছু দেখছে বলে মনে হচ্ছে না। তার দৃষ্টি মৃত মানুষের দৃষ্টি।

মকবুল বলল, স্যার অবস্থা তো কেরোসিন।

আমি বললাম, কেরোসিনের চেয়েও খারাপ অবস্থা, 'ডিজেল'।

মকবুল বলল, এইসব জিনিস ঘরবাড়িতে খাওয়া ঠিক না। ভালো জায়গায় খাইতে হয়।

ভালো জায়গা কোনটা ?

সাভারের জাতীয় স্মৃতিসৌধ, তারপর ধরেন রায়েরবাজারের বুদ্ধিজীবী স্মৃতিসৌধ। দুইটার মধ্যে রায়েরবাজারেরটা ভালো। পিছনে নদী আছে। নদীর দিকে তাকায়া হিরুচিরা মজা পায়।

কেউ কিছু বলে না ?

কে বলব ? কেউ কিছু বলে না। রায়েরবাজারে একজন আছে মিনা রানী। উনার জিনিসও ভালো। ফেন্সির এক নম্বরটা উনার কাছে পাওয়া যাবে।

এই বিষয়ে তোমার জ্ঞান তো ভালো।

প্রশংসায় মকবুল লজ্জা পেয়ে গেল। গাড়ি স্টার্ট দিতে দিতে বলল, এখন যাব কোন দিকে ?

রায়েরবাজারের বধ্যভূমির দিকে গেলে কেমন হয় ? কোনোদিন দেখা হয় নাই। হাতে যখন একটা গাড়ি আছে।

বিয়ার বাজার সদাই করবেন না ?

গরিবের বিয়ের আবার বাজার! সুযোগ যখন পাওয়া গেছে বধ্যভূমিটা দেখে যাই।

স্মৃতিসৌধ দেখে মুগ্ধ হওয়া ঠিক না। মুগ্ধ হবার মানে যাদের স্মৃতিতে সৌধ তারা গৌণ, সৌধটা মুখ্য। তারপরেও মুগ্ধ হতে হলো। বড় একটা দেয়াল। দেয়ালের এক অংশে জানালার মতো কাটা। সেই জানালায় আকাশ দেখা যাচ্ছে।

সৌধ ধূলামলিন, চারদিকে আবর্জনা, কিন্তু জানালার বাইরের আকাশ ঝকঝক করছে। এই আকাশ স্মৃতিসৌধেরই অংশ।

সৌধের ভেতরই দুই হিরুচির দেখা পাওয়া গেল। তাদের চেহারা নোংরা, কাপড়-চোপড় নোংরা, কিন্তু তাদের চোখ স্মৃতিসৌধের জানালার মতো ঝকঝক করছে।

আপনারা ভালো আছেন ?— বলে তাদের দিকে এগিয়ে গেলাম। দু'জনই নড়েচড়ে বসল, প্রশ্নের জবাব দিল না। মকবুল আমার সঙ্গে সঙ্গে আসছে। সে বলল, স্যার এরার সাথে কথা বইল্যা কোনো ফায়দা নাই। চলেন মিরপুরের দিকে যাই।

মিরপুরে কী ?

বেনারসী শাড়ির কারখানা। বউ-এর জন্যে একটা শাড়ি কিনবেন না ? আমার এক ভাই আছে কারিগর। সস্তায় কিনায়া দেব।

দুই হিরুচির সঙ্গে কিছুক্ষণ গল্প করে তারপর যাই। শাড়ি কী ধরনের হবে এই বিষয়ে এদের সঙ্গে কথা বলি।

বাদ দেন তো স্যার। এরার সাথে ছুরি চাক্কু থাকে। কখন কী করে নাই ঠিক।

হিরুচি দু'জনকে তেমন ভয়ঙ্কর মনে হলো না। একজন তার পরিচয় দিল— সামছু। ঠেলাগাড়ি চালায়। অন্যজন পরিচয় দিল না। সারাক্ষণই মাথা নিচু করে রাখল।

সামছু ভাই, এই জায়গাটা কি জানেন ?

জানব না কেন ? শহীদ বুদ্ধিজীবীর মাজার শরীফ।

বুদ্ধিজীবী কি জানেন ?

সামছু উদাস গলায় বলল, জানি। আপনাদের মতো ভদ্দরলোক। ভালো কাপড় পরে। চোখে চশমা দেয়, গাড়িতে কইরা ঘুরে। সুন্দর সুন্দর কথা বলে।

আমি বললাম, আজ আমার বিয়ে। শাড়ি কিনতে যাচ্ছি। কী রঙের শাড়ি কিনব বলুন তো ?

মেয়ের গায়ের রঙ কী ?

শঙ্খের মতো শাদা।

হিরুচি সামছু অনেক ভেবে চিন্তে বলল, হইলদা শাড়ি কিনেন। শাদার সাথে যায় হইলদা। অপর হিরুচিও সঙ্গে সঙ্গে মাথা নাড়ল। নেশাখোররা কোনো ইস্যুতে সহজে দ্বিমত পোষণ করে না।

ড্রাইভার মকবুল বলল, অনেক ঘুরা ফিরা করছেন, চলেন শাড়িটা কিনি। মিরপুরে যাই।

শাড়ি কেনার টাকা তো নাই। পাঁচশ' টাকা পেয়েছিলাম। দেড়শ' খরচ হয়ে গেছে। তিনশ' আছে। এতে কি চলবে?

বললাম না আমার ভাই আছে। বাকিতে কিনায়া দেব।

আমি বললাম, আগে থানায় চল।

থানা! থানায় যাবেন কেন?

জরুরি কাজ আছে।

কোন থানা?

মকবুলের কথায় চিন্তায় পড়ে গেলাম। রেনুর প্রেমিক কোন থানায় আছে তা জানা নেই। মাজেদা খালার বাড়ি যে থানায় সেখানকার হাজতেই তার থাকার কথা। অনেক সময় উলটপালটও হয়। পুলিশের খুব উপরের লেভেলের নির্দেশে যখন কাউকে ধরা হয় তখন আর এলাকার ভাগ থাকে না।

চল ধানমণ্ডি থানায়। তারপর অন্য থানাগুলিতে যাব। আজ ধারাবাহিক থানা পরিক্রমা।

থানায় আপনের ঘটনা কী?

ওসি সাহেবকে বিয়ের দাওয়াত দেব।

সত্যই দাওয়াত দিবেন?

হুঁ। অনেকবার থানা হাজতে কাটিয়েছি। বেশিরভাগ ওসি সাহেবের সাথে পরিচয় আছে। তারা আমার দুঃখ দিনের সাথী।

মকবুল নিঃশ্বাস ফেলে বলল, আপনার কাজ কাম বড়ই জটিল। আত্মীয়স্বজনের খোঁজ নাই— ওসি সাহেবরা দাওয়াতি।

গাড়ি ট্রাফিক জ্যামে আটকা পড়েছে। জ্যামের বাজার শুরু হয়েছে। ফেরিওয়ালারা এক গাড়ির জানালা থেকে আরেক গাড়ির জানালায় যাচ্ছে।

তাদের কারণে ভিক্ষুকরা সুযোগ পাচ্ছে না। কনুইয়ে গুঁতো দিয়ে তারা ভিক্ষুক সরাচ্ছে। কেউ হাতে দু'টা পাকা পেঁপে নিয়ে ঘুরছে, কেউ কানকোয় দড়ি বাঁধা কাতল মাছ নিয়ে ঘুরছে। পপকর্নের প্যাকেট নিয়ে বেশ কয়েকজন আছে, এই আইটেমটা মনে হয় চালু। এতকিছু থাকতে হঠাৎ পপকর্ন চালু আইটেম হয়ে গেল কেন কে বলবে! ভ্রাম্যমাণ লাইব্রেরিও আছে। দশ-বারোটা পেপারব্যাক বই নিয়ে কয়েকজন ঘুরছে। হ্যারি পটার, জেনারেল মোশারফের আত্মজীবনী। বিক্রিও হচ্ছে।

গাড়ির ভেতর আরামদায় শীতলতা। বাইরে তেজি রোদ। সেই রোদ আমাকে স্পর্শ করছে না। রোদের দিকে তাকিয়ে ঘুমিয়ে পড়তে ইচ্ছা করছে। সারা শরীরে আরাম আরাম ভাব। আরাম ব্যাপারটা কী— ভাবতে ভাবতে ঘুমিয়ে পড়লাম। ঘুমের মধ্যে স্বপ্ন। বটগাছের নিচে শান্তিনিকেতনি কায়দায় ক্লাস হচ্ছে। ক্লাস নিচ্ছেন স্বয়ং রবীন্দ্রনাথ। একজন তাঁর মাথায় ছাতা ধরে আছে। ছত্রধর খুব পরিচিত, কিন্তু কে ধরতে পারছি না। রবীন্দ্রনাথের হাতে এক ঠোঙা পপকর্ন। তিনি পপকর্ন চিবুতে চিবুতে 'আরাম কী?' তার ব্যাখ্যা দিচ্ছেন। তিনি বলছেন—

> আরাম দুই প্রকার— শারীরিক এবং মানসিক। এই যে আমি পপকর্ন খেয়ে মজা পাচ্ছি এটা শারীরিক আরাম। আবার পপকর্নগুলি দেখতে বোঁটাহীন শিউলীফুলের মতো। এক ঠোঙা ফুল দেখে যে আরামটা পাচ্ছি তা মানসিক।
>
> শরীরের প্রয়োজন মেটার ফলে যে আরাম হয় সেটা শারীরিক আরাম, আবার মনের প্রয়োজন মেটার ফলে যে আরাম হয় তা মানসিক আরাম।
>
> আরামের যে অন্য অর্থ আছে তা কি তোমরা জানো? আরামের অর্থ বাগান। আবার উপবনও হতে পারে। আমার কথা বিশ্বাস না করলে তোমরা ডিকশনারি দেখতে পার।
>
> এখন তোমরা বলো, সংঘারাম মানে কী? সংঘারাম একটি সমাসবদ্ধ পদ। ব্যাস বাক্য কী?
>
> ছত্রধারী বললেন, গুরুদেব, আপনি তো ব্যাকরণের ক্লাস নিচ্ছেন না। আপনার কাছ থেকে ছাত্ররা অন্যকিছু জানতে চায়।
>
> রবীন্দ্রনাথ সঙ্গে সঙ্গে বললেন, তাই তো! তাই তো!

আচ্ছা আরামের সঙ্গে মিল দিয়ে শব্দ লিখতে থাক। এতে অন্তমিলের বিষয়টা সড়গড় হবে।

আরাম
হারাম

আমি এই দুটা বললাম, বাকিগুলি তোমরা বের কর। তাড়াতাড়ি।

এই সময় ঘুম ভাঙল। গাড়ি থানা কম্পাউন্ডে ঢুকেছে। থানার সেন্ট্রি সরু চোখে তাকাচ্ছে। এত বড় গাড়িতে কে এসেছে আঁচ করার চেষ্টা। সেই অনুযায়ী ঠিক করবে স্যালুট দেবে কি দেবে না।

সিভিলিয়ানদের নিয়ে এই সমস্যা। কে বিশিষ্টজন কে বিশিষ্টজন না এইসব গায়ে লেখা থাকে না। তাদের কোনো আলাদা পোশাকও নেই। ভবিষ্যতের মানুষদের এরকম ব্যবস্থা থাকবে বলে মনে হয়। সবাইকে শরীরে ব্যাজ পরতে হবে। সেই ব্যাজ বলে দেবে লোকটির পেশা কী, ব্যাংকে তার কত টাকা আছে, বিবাহিত কি-না, রক্তের গ্রুপ, বয়স ইত্যাদি।

ওসি সাহেব আমার পরিচিত। নাম সুলেমান। তাঁর সময়ে আমি একবার দু'রাত হাজতে ছিলাম। শেষটায় ভালো খাতির হয়ে গিয়েছিল। তাঁর স্ত্রীর রান্না হাসের মাংস এবং ভুনাখিচুড়ি টিফিন কেরিয়ারে রান্না করে খাইয়েছিলেন। ভদ্রমহিলার নাম পারুল। তিনি আমাকে দেখেই ভ্রু কুঁচকে গম্ভীর হয়ে গেলেন। আমি অতি বিনয়ের সঙ্গে বললাম, স্যার, কেমন আছেন?

ওসি সাহেব বললেন, কী চাও?

একটা বিশেষ প্রয়োজনে এসেছিলাম স্যার।

কী প্রয়োজন বলে বিদায় হও। নানান ঝামেলায় আছি। তোমার সঙ্গে কথার খেলা খেলতে পারব না। কী বলতে এসেছ স্ট্রেইট বলো। নো হাংকি পাংকি।

আমি বললাম, আরামের সঙ্গে মিল হয় এরকম কয়েকটা শব্দ দরকার। আমি একটা পেয়েছি— হারাম। আর পাচ্ছি না।

ওসি সাহেবের চেহারা থেকে বিরক্তি ভাব দূর হয়ে চিন্তিত ভাব চলে এলো। তাঁর মস্তিষ্ক এখন আরামের সঙ্গে মিল আছে এমন শব্দ খুঁজে বেড়াচ্ছে। ওসি সাহেব চাচ্ছেন না, কিন্তু মস্তিষ্ক তার কাজ করেই যাচ্ছে। নিজের মস্তিষ্কের উপর মানুষের যে পূর্ণ নিয়ন্ত্রণ নেই তা মানুষ জানে, কিন্তু স্বীকার করে না।

ওসি সাহেব বললেন, হিমু বোস। চা খাবে?

খাব।

ওসি সাহেব চোখের ইশারায় চা দিতে বললেন। চোখের ইশারার এমন ব্যবহার আগে দেখি নি।

ওসি সাহেব বললেন, আরামের সঙ্গে হারাম ছাড়া তো আর কিছু পাচ্ছি না।

আরো অনেক আছে। বাংলা ভাষা সহজ জিনিস না। বিশাল সমুদ্র।

তুমি থানায় এসেছ কেন সেটা বলো। আরাম হারাম নিয়ে যে আস নি এটা জানি।

আপনারা কি কোনো অল্পবয়সি ছেলেকে আজ ধরে এনেছেন?

অল্পবয়সি ছেলেপুলে তো আমরা সবসময় ধরে আনি।

যে ছেলের কথা বলছি সে তেমন কোনো অপরাধ করে নি। তার অপরাধ সে তার প্রেমিকার বাড়ির সামনে বসে ছিল।

বুঝেছি। তূর্য। তোমার কে হয়?

আমার কেউ হয় না।

কেউ না হওয়াই ভালো। মেরে হাড্ডি গুঁড়া করা হয়েছে।

উপরের নির্দেশ ছিল?

হ্যাঁ ছিল। উপরের নির্দেশে এক দফা মারা হয়েছে, তারপর নিজের দোষে আরেক দফা মার খেয়েছে হাজতে।

হাজতে কী করেছে?

হিরোইন নেয়ার টাইম হয়ে গেছে। সঙ্গে নাই জিনিস। আধাপাগল হয়ে গেছে। পুরিয়ার জন্যে সবার হাতেপায়ে ধরছে। কী যে অবস্থা! শরীর গেছে ফুলে। পেশাব করে কাপড় নষ্ট করেছে। দুর্গন্ধে কাছে যাওয়া যায় না।

সে কার ছেলে জানেন?

কার ছেলে?

বাবার আইডেনটিটি ডিসক্লোজ করা যাবে না। সমস্যা আছে। শুনলে আপনি খাবি খাবেন।

তুমি ধানাইপানাই গল্প ছাড়। তোমার ধানাইপানাই স্টোরির সঙ্গে আমি পরিচিত। ছেলের বিষয়ে খোঁজ নিয়েছি। স্কুল মাস্টারের ছেলে। বাবা-মা অল্প বয়সে মারা গেছেন, চাচার কাছে মানুষ হয়েছে। মানুষ তো না, অমানুষ হয়েছে। তুমি তার সঙ্গে দেখা করতে চাচ্ছ দেখা করো। হাংকি পাংকি করার দরকার নেই। তোমাকে থানায় ঢুকতে দেয়াই উচিত হয় নি। তুমি আমার মাথার ভেতর আরাম হারাম ঢুকিয়েছ। এখন সব ফেলে মিলের শব্দ চিন্তা করছি। আমার তো ধারণা এই দু'টা ছাড়া নেই।

অবশ্যই আছে।

থাকলে বলো, মাথার ভনভনানি দূর হোক।

আমি বললাম, আরাম

হারাম

গেরাম

ব্যারাম

ক্যারাম

ওসি সাহেব বললেন, আর কি আছে?

অবশ্যই আছে। আপনি চিন্তা করতে থাকুন, আমি এই ফাঁকে তূর্যের সঙ্গে কথা বলে আসি।

তূর্যের চেহারা সুন্দর হবে এটা আমি ধরেই নিয়েছিলাম। এতটা সুন্দর হবে কল্পনাও করি নি। একজন দেবদূত হাজতের শিক ধরে বসে আছে। বড় বড় স্বচ্ছ অভিমানী চোখ। চোখের দিকে তাকালেই মনে হয়, কিছুক্ষণ আগে এই চোখ অশ্রুবর্ষণ করেছে। প্রাচীন গ্রীক ভাস্কররা এই ছেলেকে দেখলে মডেল হিসেবে অবশ্যই ব্যবহার করতেন। এই ছেলের গায়ে কেউ হাত তুলতে পারে ভাবাই যায় না। রেনুর পাশে এই ছেলেকে দাঁড় করিয়ে ভোটাভুটি করলে তূর্যের ভোট বেশি পাবার সম্ভাবনা আছে।

হ্যালো তূর্য।

তূর্য চমকে তাকল। কিছু বলল না।

আমি তোমার জন্যে দুই পুরিয়া জিনিস নিয়ে এসেছি। পচা বাবার কাছ থেকে এনেছি। পচা বাবার নাম শুনেছ?

তূর্যের দৃষ্টি তীক্ষ্ণ হলো। তার পাতলা ঠোঁট কাঁপছে। সে ঘনঘন নিঃশ্বাস ফেলছে। তূর্য বলল, আপনি কে?

আমার নাম হিমু।

আমাকে চেনেন কীভাবে?

রেনুর মাধ্যমে চিনি। রেনুর কথা মনে আছে তো?

তূর্য বলল, পুরিয়া দিন।

এখনই খাবে?

তূর্য জবাব দিল না। আমি দেখলাম তার হাতের আঙুল কাঁপছে। ঠোঁট কাঁপছে, চোখের পাতাও কাঁপছে। আসন্ন নেশার উত্তেজনাতেই এমন হচ্ছে।

রেনুর বিয়ে হচ্ছে, এই খবর পেয়েছ ?

না। কার সঙ্গে বিয়ে হচ্ছে ?

আমার সঙ্গে। আজ রাত ন'টা সাড়ে ন'টার দিকে বিয়ে হবে। তুমি কি বরযাত্রী হিসেবে যেতে চাও ?

তূর্য জবাব না দিয়ে বলল, আমাকে পুরিয়া দিন।

এত তাড়াহুড়া কেন ? আগে কথা বলি।

কথা বলতে ভালো লাগছে না।

রেনুর সঙ্গে কথা বলবে ?

না।

না কেন ? রেনুর সঙ্গে তোমার ভাব আছে না ?

জানি না।

জানবে না কেন ?

আমি বুঝতে পারি না।

যাই হোক, তোমাকে আমি ছোট্ট একটা কাজ দেব। জটিল কোনো কাজ না। সহজ কাজ। কাজটা করা মাত্রই পুরিয়া হাতে পাবে। ওয়ার্ড অব অনার।

কাজটা কী ?

রেনুকে বলবে সে যেন তার হাতের রগ না কাটে। টেলিফোনে বলবে। আমি লাইন করে দেব, তুমি বলবে।

হাতের রগ কাটা মানে কী ?

রেনু বলেছে, আমার সঙ্গে যদি তার বিয়ে হয় তাহলে সে তার হাতের রগ কেটে মারা যাবে। সে সেভেন ও ক্লক ব্লেড নিয়ে তৈরি।

তূর্যের ঠোঁটে সামান্য হাসির আভাস দেখা গেল। সে সঙ্গে সঙ্গে সেই হাসি মুছে ফেলে বলল, আমি টেলিফোন করব।

থ্যাংক য়্যু। আমি লাইন করে দিচ্ছি। টেলিফোনে কথা শেষ হওয়া মাত্র পুরিয়া।

রেনু কি ভালো আছে ?

তাকে তালাবন্ধ করে রাখা হয়েছে, তবে সে ভালো আছে। তুমি একটু অপেক্ষা কর, আমি লাইন করে দিচ্ছি, তুমি রেনুকে বুঝিয়ে বলো।

নানান ঝামেলা করে খালার মাধ্যমে রেনুকে ধরা গেল। আমি মোবাইল টেলিফোন তূর্যের হাতে দিয়ে দিলাম। তূর্য কথা বলছে। ওপাশ থেকে রেনু কী

বলছে শোনা যাচ্ছে না। তূর্যও কথা বলছে অতি নিচু গলায়। কী বলছে আমি কিছুই বুঝতে পারছি না। হয়তো এরকম নিচু গলাতেই সে কথা বলায় অভ্যস্ত।

তূর্য টেলিফোন শেষ করল। আমি বললাম, তুমি কি আমার কথাটা বলেছ?

না।

বলো নি কেন?

তূর্য চুপ করে রইল। আমি বললাম, মোবাইল টেলিফোনটা তোমার কাছে দিয়ে যাচ্ছি। একটা পুরিয়াও দিয়ে যাচ্ছি। আমার বিষয়ে রেনুর কাছে সুপারিশের পরপরই পুরিয়া ব্যবহার করতে পারবে। তবে সুপারিশ না করে জিনিস খাবে না।

তূর্য তাকিয়ে আছে একদৃষ্টিতে। কিছু একটা বলতে গিয়েও বলল না। আমি বললাম, তোমাকে যা বলেছি মনে আছে তো? আমার বিষয়ে সুপারিশ করার পর পুরিয়া খাবে, তার আগে না।

তূর্য ঘাড় কাত করল।

আমি বললাম, রেনুকে বিয়ে করার ব্যাপারে আমার আগ্রহের কারণ জানো? আমি মেয়েটার প্রেমে পড়ে গেছি। ঐ বিখ্যাত লাইন মনে আছে?—

'রমণীর মন সহস্র বৎসরের সখা সাধনার ধন।'

রেনুর মন আমি এখনো পাই নি। সাধনা সেইভাবে শুরু করি নি বলে পাই নি। কয়েকঘণ্টা মাত্র সাধনা করেছি।

আপনার নাম কী?

একবার কিন্তু তোমাকে নাম বলেছি। তারপরেও আরেকবার বলছি— আমার নাম হিমু।

পুরিয়া দিন।

আমি পুরিয়া দিলাম। মোবাইল টেলিফোন দিয়ে বললাম, টেলিফোন এবং পুরিয়া দু'টাই লুকিয়ে রাখবে। থানাওয়ালাদের চোখে পড়লে তারা নিয়ে নিতে পারে।

চলে আসার আগে ওসি সাহেবের সঙ্গে দেখা করতে গেলাম। তিনি খুবই বিরক্ত ভঙ্গিতে বললেন, এখনো যাও নি?

আমি বিনয়ে গলে গিয়ে বললাম, স্যার, এখনি যাচ্ছি। একটা ছোট্ট জিজ্ঞাসা ছিল। অতি ছোট জিজ্ঞাসা। ধূলিকণার মতো ছোট।

ওসি সাহেব ভ্রু কুঁচকে তাকালেন। আমি বললাম, আপনার আসামি তূর্য বিষয়ে একটা কথা।

ভনিতা রাখ। কী বলবে বলো।

আমি বললাম, তূর্যের সঙ্গে মিল দিয়ে হয় সূর্য। স্যার, আর কিছু কি হয়?

ওসি সাহেবের মুখে প্রায় সঙ্গে সঙ্গেই হতাশার ছায়া পড়ল। বোঝা যাচ্ছে তাঁর মস্তিষ্ক মিল খুঁজতে শুরু করেছে। অন্তমিলযুক্ত আরেকটা শব্দ মনে না আসা পর্যন্ত অনুসন্ধান চলতেই থাকবে। এই বিষয়টা সবার ক্ষেত্রে ঘটে না। কাজেকর্মে এবং চিন্তাভাবনায় জর্জরিত মানুষের ক্ষেত্রে ঘটে। প্রবল চাপে পর্যুদস্ত মানুষের ক্ষেত্রে ঘটে। মস্তিষ্ক চাপ থেকে মুক্তি পাবার জন্যে সহজ পথ খোঁজে। অন্তমিলের অনুসন্ধান মস্তিষ্কের জন্যে সহজ মুক্তির পথ।

স্যার, আপনার অফিসের টেলিফোনটা একটু ব্যবহার করতে পারি?

ওসি সাহেব থমথমে মুখে টেলিফোন এগিয়ে দিলেন। আমি খালু সাহেবকে টেলিফোন করলাম।

আমি বললাম, হ্যালো, ধানমণ্ডি থানা থেকে বলছি।

খালু সাহেব হড়বড় করে বললেন, গাড়ি কি পাওয়া গেছে?

খালু সাহেব, আমি হিমু।

তুমি! তুমি থানায় কী করছ?

ওসি সাহেবকে দাওয়াত দিতে এসেছি। বিয়ের দাওয়াত। খালু সাহেব, গাড়ির কোনো খোঁজ পাওয়া যায় নি?

ইয়ারকি বন্ধ করো। ইডিয়ট!

খালু সাহেব টেলিফোন রেখে দিলেন। ওসি সাহেব শূন্যদৃষ্টিতে তাঁর সামনে দেয়ালে ঝুলানো ক্যালেন্ডারের দিকে তাকিয়ে আছেন। আমি বললাম, স্যার যাই?

ওসি সাহেব বললেন, তুর্য এবং সূর্য ছাড়া আর কিছু তো পাচ্ছি না।

চেষ্টা করতে থাকুন। পেয়ে যাবেন।

'কর্জ' কি চলবে?

কর্জ চলবে না। উকার লাগবে। কুর্জ চলত। কুর্জ বলে শব্দ নেই।

হিমু শোন, আর কোনোদিন যেন তোমাকে থানায় না দেখি।

পারুল আপা কেমন আছে স্যার?

সে ভালো আছে।

উনার রান্না করা হাঁসের মাংস এবং খিচুড়ির স্বাদ এখনো মুখে লেগে আছে।

ওসি সাহেব গম্ভীর গলায় বললেন, তোমার মতলব আমার কাছে পরিষ্কার। পারুলের কথা বলে আমার মন ভুলাবার চেষ্টা করছ। কাজ হবে না।

পারুল আপাকে বিয়ের দাওয়াত দেয়ার শখ ছিল।

সে ঢাকায় নেই। সে মুন্সিগঞ্জে তার মায়ের বাড়িতে গেছে।

আমার কাছে গাড়ি আছে। আপনি ঠিকানাটা দিন। একটানে চলে যাব।

তুমি বিদেয় হও। বিদায়।

বিয়ের শাড়ি কিনতে যাব। পারুল আপার মতামতটা পেলে ভালো হতো। এইসব বিষয় মেয়েরা ভালো বোঝে। শুনেছি এখনকার ফ্যাশন বিয়েতে লালশাড়ি না পরা। বিধবা হলে কিংবা স্বামী তালাক দিলেই শুধু লাল শাড়ি।

তুমি যাবে, না বকবক করতেই থাকবে ?

বিয়ের শাড়ি হিসেবে সবুজ রঙটা কি আপনার পছন্দ ?

আমার ধৈর্য্যের বাঁধ ভেঙেছে, এখন কিন্তু থাপ্পড় খাবে।

থাপ্পড় খাবার আগেই গাড়িতে উঠলাম। গাড়ি চলছে মিরপুরের দিকে। বিয়ের শাড়ি কেনা হবে। মকবুলের ভাইকে পাওয়া গেলে হয়। আমার হাতে আছে একশ' পঁচিশ টাকা। এই টাকায় কাদের সিদ্দিকীর গামছা হবে, শাড়ি হবে না।

গাড়ির সিটে মাথা দিয়ে চোখ বন্ধ করতেই গুরুদেবের দেখা পেলাম। তিনি বললেন, বিয়ের শাড়ি সবুজ না হওয়া বাঞ্ছনীয়।

আমি বললাম, সবুজ না কেন ?

সবুজ রঙটার বিষয়ে আমার আপত্তি আছে।

সবুজ নিয়ে আপনার এত মাতামাতি, আবার সবুজ রঙ নিয়েই আপত্তি। কারণটা কি বলবেন ?

রবীন্দ্রনাথ বিরক্ত গলায় বললেন, আমি যে কালার ব্লাইন্ড এই তথ্য তো জানো। এই নিয়ে অনেক লেখালেখি হয়েছি, না জানার কথা না। সবুজ রঙ আমি চোখেই কোনোদিন দেখি নি।

খাইছে আমারে।

আমার সামনে এ ধরনের অশালীন ভাষা প্রয়োগ করবে না।

'খাইছে আমারে'র বদলে 'আমাকে ভক্ষণ করেছে' কি বলা যাবে ?

তুমি কথ্য ভাষায় কথা বলছ, এর মধ্যে হঠাৎ 'ভক্ষণের' মতো একটা তৎসম শব্দ ব্যবহার কেন করবে ? ভাষার জগাখিচুড়ি আমার পছন্দ না।

জগাখিচুড়ি জিনিসটা কি স্যার ? খিচুড়ি জানি। কিন্তু জগাখিচুড়ি ?

রবীন্দ্রনাথ চশমা ঠিক করতে করতে বললেন, জগন্নাথের মন্দিরে রোজ নানান পদ মিলিয়ে খিচুড়ি রান্না হতো। সেখান থেকে এসেছে জগাখিচুড়ি।

স্যার, আপনাকে কিন্তু আমার বিয়েতে বয়যাত্রী হিসেবে যেতে হবে। এবং উপহার হিসেবে চার লাইনের কবিতা। মেয়ের নাম রেনু। রেনুর সঙ্গে মিলিয়ে চারটা লাইন।

রবীন্দ্রনাথ বিড়বিড় করে বললেন—

ওরে রেনু, ওরে আমার রেনু
একা বসে বাজাস কেন বেনু ?

ওরে আমার রেনুতে কিছু আপত্তি আছে। শুনলে মনে হয়, সে আপনার রেনু। আপনি যদি বলেন—

ওরে রেনু, ওরে হিমুর রেনু
একা একা কেন চরাস ধেনু ?

তাহলে কেমন হয় ?

রবীন্দ্রনাথ ভুরু কুঁচকে বললেন, মেয়েমানুষ ধেনু চরাবে কেন ?

আপনার সময়ের মেয়েমানুষ আর এখনকার মেয়েমানুষে রাজ্যের ফারাক। আজকালকার মেয়েরা অনেক কিছুই চরাচ্ছে। ধেনু সেই তুলনায় কিছুই না।

রবীন্দ্রনাথ গম্ভীর গলায় বললেন, সময় বদলাচ্ছে এটা ঠিক। তারপরেও মেয়েরা ধেনু চরাচ্ছে দৃশ্যকল্পটা নিতে পারছি না।

আমি বললাম, সময়ের সঙ্গে সঙ্গে আপনার গানও বদলেছে। এখন আপনার গানে ঢুকেছে র‍্যাপ।

সেটা কী ?

আপনার গান হবে, ফাঁকে অন্য একজন কিছু অর্থহীন কথা কবিতার মতো বলে যেতে থাকবে। যেমন ধরুন আপনার বৃষ্টির গান—

আজি ঝরঝর মুখর বাদল দিনে
জানিনে জানিনে মন
কিছুতে কেন যে মন লাগে না।

এই কয়েক লাইন গাওয়া শেষ হওয়া মাত্র একজন বলবে—

আজ বৃষ্টি। লাগবে খিচুড়ি।
সঙ্গে ইলিশ। এক পিস বেগুন
ভাজা। খেতে মজা খেতে মজা।
আজ বৃষ্টি। ঝরঝর বাদল দিন।

চুপ করো।

জি আচ্ছা স্যার। চুপ করলাম।

অন্য কোনো প্রসঙ্গে কথা বলো। আমার গান প্রসঙ্গে তোমার কথা শুনে চিত্ত বিকল হয়েছে।

বিয়ের শাড়ি প্রসঙ্গে ফিরে যাই। হলুদ রঙের শাড়ি কি কিনব? আমার দুই বন্ধু হলুদের কথা বলছিলেন।

হলুদ বৈরাগ্যের রঙ।

ব্যাচেলর জীবনে প্রবল বৈরাগ্যের কারণেই বিবাহিত জীবনে সেই অর্থে হলুদ চলে না।

চলতে পারে। তবে...

আর তবে টবে না। রঙ নিয়ে আমি বিরাট ঝামেলায় পড়েছি। দু'জন হলুদে ভোট দিয়েছে, আপনি ভোট দিলেই তিন। কণ্ঠ ভোটে সংসদে পাশ। কণ্ঠ ভোট দিতে না চাইলে আপনি হাত তুলেও ভোট দিতে পারেন।

এই পর্যায়ে ঝাঁকুনি খেয়ে গাড়ি থামল। আমি জেগে উঠে দেখি, গাড়ি মিরপুরের বেনারসি পল্লীতে থেমেছে।

সময় দুপুর দু'টা।

খালু সাহেবের সাধের গাড়ি তাঁর নিজের বাড়ির গ্যারেজে। ড্রাইভার মকবুলকে হোটেলে পাঠিয়ে দিয়েছি— দুপুরের খাওয়া খেয়ে আসুক। আবার গাড়ি নিয়ে বের হতে হবে।

খালুসাহেব দুপুরে বাসায় খেতে আসেন। আজ মনে হয় আসবেন না। অফিসে বসে চুরি হয়ে যাওয়া গাড়ির অনুসন্ধান চালাবেন। যদি চলেও আসেন ক্ষতি কিছু নেই। ঘরে ফিরে দেখবেন ঘরের ছেলে ঘরে ফিরেছে। বিদেশীদের কাছে গাড়ি স্ত্রীসম। বাংলাদেশীদের কাছে গাড়ি পুত্রসম। গাড়িপুত্রের মুখ দেখে আনন্দে উদ্বাহু হবেন। সেই আনন্দ দেখার মধ্যেও মজা আছে।

মাজেদা খালা আমাকে দেখে উৎফুল্ল গলায় বললেন, তোকে দেখেই মনে হচ্ছে বিয়ের ফুল ফুটেছে। চেহারা সুন্দর হয়ে গেছে। রোদেপোড়া ভাব খানিকটা দূর হয়েছে।

আমি বললাম, আজ সারাদিন এসি গাড়িতে ঘুরেছি। রোদে শরীর পোড়াবার সুযোগ হয় নি।

গাড়ি কোথায় পেয়েছিস?

একদিনের জন্যে জোগাড় করেছি।

মাজেদা খালা আনন্দিত গলায় বললেন, তোর খালু সাহেবের গাড়িটাও পাওয়া গেছে। বেচারা কী যে খুশি হয়েছে! আমাকে গাড়ি পাওয়ার খবর দিতে গিয়ে আনন্দে কেঁদে ফেলেছিল।

আমি হতভম্ব গলায় বললাম, গাড়ি কোথায় পাওয়া গেল?

নারায়ণগঞ্জে। নারায়ণগঞ্জের ওসি সাহেব টেলিফোন করে জানালেন। তোর খালু নারায়ণগঞ্জ গাড়ি আনতে গেছে। বাংলাদেশের গাড়ি চোররা কত বড় Expert শোন— অল্প কয়েক ঘণ্টা পার হয়েছে, এর মধ্যেই গাড়ির নাম্বার প্লেট টেট সব পাল্টে ফেলেছে।

পুলিশও কম Expert না। অল্প সময়ে গাড়ি উদ্ধার। ওদেরকেও ধন্যবাদ দিতে হয়।

অবশ্যই। তুই বাথরুমে ঢোক। সাবান ডলে হেভি গোসল দিবি। তারপর রেনুকে নিয়ে খেতে বসবি। আমি তখন সামনে থাকব না। ইটিস পিটিস আলাপ করতে চাইলে করবি। বিয়ের আগে হালকা আলাপ থাকা ভালো।

রেনু এখন করছে কী ?

ঘুমাচ্ছে।

অসময়ে ঘুমাচ্ছে ?

অনেকের টেনশনে ঘুম বেড়ে যায়। আমার নিজেরই বাড়ে। বিয়ের দিন আমার এত টেনশন ছিল! সারাদিন ঘুমিয়েছি। উকিল বাবা যখন কবুল নিতে এলেন তখনো আমি ঘুমাচ্ছি। আমাকে ঘুম থেকে ডেকে তুলতে হলো।

খালা, তোমাকে এত খুশি খুশি লাগছে কেন ? রহস্য কী ?

যে-কোনো মেয়ের বিয়ের দিন বিবাহিত মেয়েদের মন খুশি খুশি থাকে। নিজের বিয়ের দিনের কথা মনে পড়ে এই জন্যে। আর কথা বলতে পারব না। বাথরুমে ঢুকে যা। তোর জন্যে আলাদা করে কাঁচা হলুদ বেটে রেখেছি। সারা শরীরে ডলে মাখবি।

আচ্ছা।

না-কি আমি মেখে দেব ?

তুমি মেখে দেবে কেন ?

মা-খালারাই তো ছেলের গায়ে হলুদ মাখায়। তোর তো ত্রিভুবনে কেউ নেই। একটা এতিমেরও তো অমুক আত্মীয় তমুক আত্মীয় থাকে। তোর তো তাও নেই।

তুমি তো আছ ?

আমি তোর আপন কেউ ? আমি অনেক দূরের। কথায় আছে না ?—

'আমার ক্ষেতে বিয়াইছে গাই
সেই সূত্রে মামাতো ভাই।'

আমি বাথরুমে ঢুকলাম, খালাও হলুদের বাটি নিয়ে ঢুকলেন। আমি নিজেকে আবেগশূন্য মানুষ হিসেবেই জানতাম। মহাপুরুষ ওয়ার্কশপে যারা অংশগ্রহণ করে তাদের আবেগশূন্য হতে হয়। ওয়ার্কশপের একমাত্র ইনস্ট্রাকটার আমার বাবা বলতেন—

> আবেগ হচ্ছে বিষ্ঠা। এই বিষ্ঠা শরীরে রাখতে নেই। শরীর থেকে বের করে দিতে হয়। মহান স্রষ্টা আবেগশূন্য। এত বড় সৃষ্টি আবেগ দিয়ে করা সম্ভব না। সৃষ্টি হয়েছে লজিকে। সৃষ্টিতে আবেগের স্থান নেই। অন্যের আবেগ বুঝতে হলে নিজেকে আবেগশূন্য হতে হবে।

খালা বললেন, কি রে কাঁদছিস কেন ? চোখে পানি কেন ?

আমি বললাম, মহাপুরুষ ট্রেইনিং-এ ফেল করেছি বলে চোখে অশ্রু।

হেঁয়ালি করে কথা বলবি না। কী সমস্যা বল।

তোমার আদরটাই সমস্যা। এত আদর এত মমতা নিয়ে কেউ আমার গায়ে হাত দেয় নি।

খালা বললেন, আয় তোর কপালে একটু চুমু দিয়ে দেই।

আমি আমার মাথা এগিয়ে দিলাম। ভাগ্যিস এই দৃশ্য আমার বাবা দেখছেন না। দেখতে পেলে তিনি শিউরে উঠতেন। তাঁর মতে আবেগ কদর্য। আবেগের প্রকাশ আরো কদর্য। তাঁর মতে বিষ্ঠা যখন শরীরের ভেতরে থাকে, দেখা যায় না, তখন তাকে অগ্রাহ্য করা যায়। কিন্তু বিষ্ঠা প্রকাশিত হলে সহ্য করা যায় না। প্রকাশিত বিষ্ঠা তার দূষিত গন্ধে জগৎ নষ্ট করে।

রেনু হাত-পা এলিয়ে ঘুমাচ্ছে। খালা আমাকেই পাঠিয়েছেন ঘুম ভাঙিয়ে তাকে খাবার টেবিলে নিয়ে আসতে। আমার গায়ে খালার কেনা উপহার। শার্ট-প্যান্ট। হিমুর হলুদ পাঞ্জাবি বাথরুমের হ্যাঙ্গারে ঝুলছে। নিজের কাছে মনে হচ্ছে আমি অন্য কোনো চরিত্রে অভিনয় করছি। অভিনয়ের কারণে আমার কস্টিউম বদলে দেয়া হয়েছে। কস্টিউম ডিজাইনার খালা দূর থেকে লক্ষ করছেন। ডিরেক্টর সাহেব অপেক্ষা করছেন। লাইট, ক্যামেরা, অ্যাকশন— বলা মাত্রই আমাকে অ্যাকশনে নেমে যেতে হবে। মধুর গলায় ঘুমন্ত রূপবতীকে ডেকে তুলতে হবে। ডায়লগও Script Writer দিয়ে দিয়েছেন। আমাকে কবিতার মতো করে বলতে হবে—

এই চল না বৃষ্টিতে ভিজি
চল না কন্যা যাই ছাদে
আজ আমরা বৃষ্টিবন্দি
ভালোবাসার অপরাধে।

ঘুমন্ত রূপবতী জেগে উঠবে। আমার হাত ধরবে। আমরা ছাদে চলে যাব। ডিরেক্টর সাহেব বলবেন, কাট। দ্বিতীয় দৃশ্যটি হবে ছাদে। ড্যান্স সিকোয়েন্স। আমরা নাচব। ভাড়া করে আনা বৃষ্টির লোকজন হোস পাইপ দিয়ে আমাদের গায়ে পানি দেবে।

ডিরেক্টর সাহেব বললেন, আর্টিস্ট রেডি ?

আমি বললাম, ইয়েস স্যার।

ডিরেক্টর সাহেব বললেন, যখন অ্যাকশান বলব তাড়াহুড়া করবেন না। ধীরে সুস্থে যাবেন। ক্যামেরা আপনাকে ফলো করবে। ভুলেও ক্যামেরার দিকে তাকাবেন না। হিরোইনকে গায়ে হাত দিয়ে ডেকে তুলবেন। গায়ে হাত দেবার আগে কিছুক্ষণ মুগ্ধ চোখে তাকিয়ে থাকবেন। এই জায়গায় মিউজিক যাবে। মিউজিকের ব্রেক দেবেন। ঠিক আছে ?

ইয়েস স্যার।

লাইট, ক্যামেরা, অ্যাকশান।

আমি ধীরে ধীরে এগুচ্ছি। হিরোইনের পাশে দাঁড়ানো মাত্র সে ধড়মড় করে উঠে বসল। তাকে গায়ে হাত দিয়ে ডেকে তুলতে হলো না। সে বিস্মিত গলায় বলল, আপনি কে ?

আমি হিমু।

ও আচ্ছা হিমু! এই বিশ্রী পোশাকটা পরেছেন কেন ?

বিশ্রী ?

অবশ্যই বিশ্রী। আপনাকে অন্যরকম লাগছে এবং নোংরা লাগছে। আপনি আপনার হলুদ পাঞ্জাবিটা দয়া করে পরুন।

ঠিক আছে পরব। তার আগে চল ছাদে যাই।

ছাদে যাব কেন ?

ডিরেক্টর সাহেবের হুকুম। বৃষ্টিভেজা সিকোয়েন্স হবে। সবাই হোস পাইপ নিয়ে রেডি।

কী আবোলতাবোল বলছেন ? হোস পাইপ নিয়ে রেডি মানে কী ?

আমি হতাশ গলায় বললাম, খালার দেয়া শার্ট-প্যান্ট গায়ে দেবার পর থেকে এরকম হচ্ছে। মনে হচ্ছে আমি অভিনয় করছি। ডিরেক্টর সাহেব সব দেখছেন। উনি আবার এলেবেলে ডিরেক্টর না। কঠিন ডিরেক্টর। পান থেকে চুন, সুপারি, খয়ের যে-কোনো কিছু খসলেই রেগে আগুন হন।

আপনি বসুন তো।

আমি বসলাম। রেনু আমাকে বিস্মিত করে দিয়ে হাসল। আমি বললাম, তোমার বান্ধবের সঙ্গে আমার দেখা হয়েছে।

রেনু বলল, আমি জানি।

তাকে যে সৌন্দর্যে দশে এগারো দিয়েছি সেটা জানো?

না।

দশে দশ সে নিজ যোগ্যতায় পেয়েছে। বাড়তি এক দিয়েছি খুশি হয়ে।

রেনু বলল, বাড়তি এক যে শুধু দিয়েছেন তা-না, এক পুরিয়া হিরোইনও দিয়ে এসেছেন।

তা ঠিক।

আপনি তাকে নিয়ে একটা পরীক্ষা করতে চাচ্ছেন। তাই না?

অনেকটা সেরকম। আমি দেখতে চাচ্ছি তার কাছে প্রেম বড় না নেশা বড়?

রিসকি পরীক্ষা এবং ভুল পরীক্ষা।

ভুল কেন?

সে এখন একজন রোগী, হিরোইন আসক্ত রোগী। তার কর্মকাণ্ডকে আপনি সাধারণ দাড়িপাল্লায় মাপতে পারবেন না। সে এখন প্রেম নিয়ে মাথা ঘামাবে না। নেশা নিয়ে মাথা ঘামাবে। আমার ধারণা এর মধ্যেই পুরিয়া সে খেয়ে ফেলেছে। আমি অনেকবার তাকে টেলিফোন করেছি, সে ধরছে না। টেলিফোন সেটটা তাকে দিয়ে এসে আপনি ভালো করেছেন। থ্যাংক য়্যু।

কেউ থ্যাংক য়্যু বললে ওয়েলকাম বলে থ্যাংকস গ্রহণ করাই বিধি। আমি বিধি ভঙ্গ করে বললাম— ঘুম ভাঙার আগে আগে কী স্বপ্ন দেখছিলে?

রেনু বলল, স্বপ্ন দেখছিলাম আপনাকে কে বলল?

আমি বললাম, তোমার চোখের পাতা ঘনঘন কাঁপছিল। একে বলে Rapid eye movement. সংক্ষেপে REM. স্বপ্ন দেখার সময় এই ঘটনা ঘটে।

রেনু বলল, আমি স্বপ্ন দেখছিলাম— বাবা, মা এবং আমি আমরা তিনজন হেঁটে হেঁটে দূরে কোথায় যেন যাচ্ছি। আমি মাঝখানে, একপাশে বাবা এবং অন্যপাশে মা। হঠাৎ মা করলেন কী, আমাকে ছেড়ে বাবার পাশে দাঁড়ালেন। বাবা মজা পেয়ে বললেন, You lost, you lost. তখনই ঘুম ভাঙল। আপনি কি জানেন, আমার বাবা অসম্ভব মজার একজন মানুষ?

জানি। তোমার মা বলেছেন।

আপনি কি জানেন, তূর্য অসম্ভব গুণী একজন মানুষ ?

জানি।

কীভাবে জানলেন ?

তুমি শুধুমাত্র রূপ দেখে কারো প্রেমে হাবুডুবু খাবার মেয়ে না। তোমাকে আকৃষ্ট করেছে তার গুণ।

রেনু ছোট্ট নিঃশ্বাস ফেলে বলল, ঠিক ধরেছেন। ইউনিভার্সিটির এক ফাংশানে সে খালি গলায় গাইল, 'বঁধু, কোন আলো লাগল চোখে!' চিত্রাঙ্গদার গান। সখীগণ বলল—

রবিকরপাতে কোরকের আবরণ টুটি
মাধবী কি প্রথম চিনিল আপনারে ॥

উত্তরে চিত্রাঙ্গদা বলল—

বঁধু, কোন আলো লাগল চোখে!
বুঝি দীপ্তিরূপে ছিলে সূর্যালোকে!
ছিল মন তোমারি প্রতীক্ষা করি
যুগে যুগে দিন রাত্রি ধরি,

হিমু, শুনুন কী হলো, গান শেষ হওয়ামাত্র আমি তার কাছে গেলাম। আমার চোখভর্তি পানি। আমি চোখ মুছতে মুছতে বললাম, এই শোন, আমার নাম রেনু। আমি তোমাকে বিয়ে করতে চাই। তুমি কি আমাকে বিয়ে করবে ?

তূর্য কী বলল ?

তূর্য হাসিমুখে বলল, 'মন চায় হৃদয় জড়াতে কারো চিরঋণে।' এইটাও রবীন্দ্রনাথের গান। আপনি কি শুনেছেন ?

শুনেছি।

তূর্যের মতো সুন্দর করে এই গান কেউ গাইতে পারে না। যতবার বৃষ্টি হয় ততবারই তূর্য আমাকে এই গানটা গেয়ে শোনায়।

রেনুর চোখ দিয়ে টপটপ করে পানি পড়ছে। আমি বললাম, বৃষ্টিপাত তো নিজেই শুরু করে দিলে, এখন গান করবে কে ?

রেনু জবাব দিল না। কাঁদতেই থাকল।

কেউ যখন কাঁদে তখন তার দশগজ রেডিয়াসের ভেতরের সবকিছু স্যাঁতসেঁতে হয়ে যায়। আমি রেডিয়াসের ভেতর পড়ে গেছি। নিজেকে

স্যাতসেঁতে লাগছে। স্যাঁতসেঁতে ভাব কাটাবার জন্যে বললাম, রেনু তোমার জন্যে যে বিয়ের শাড়িটা কিনেছি দেখ তো তার রঙটা পছন্দ হয় কি-না।

রেনু সঙ্গে সঙ্গে চোখ মুছে কঠিন গলায় বলল, বিয়ের শাড়ি মানে?

আমি বললাম, বিয়ে উপলক্ষ্যে আমি তোমাকে একটা শাড়ি দেব না? আমার ইচ্ছা ছিল সবুজ রঙের শাড়ি দেয়া। রবিবাবু কিছুতেই রাজি হলেন না।

রবিবাবুটা কে?

রবীন্দ্রনাথ ঠাকুর। যার গান তূর্য সবচে' ভালো গায়। সবুজ রঙের বিষয়ে উনার আপত্তি ছিল বলেই হলুদ।

আপনার কি মাথা-টাথা খারাপ হয়ে গেছে?

মাথা খারাপ হবে কেন?

আপনি যে আবোল-তাবোল বকে যাচ্ছেন এটা বুঝতে পারছেন? আমি কী বলছি মন দিয়ে শুনুন— আমি কখনো আপনাকে বিয়ে করতে রাজি হবো না।

আমি বললাম, এত জোর দিয়ে কোনো কথা বলবে না। আমার তো ধারণা সন্ধ্যার দিকেই তুমি আমাকে বিয়ে করার জন্যে ব্যস্ত হয়ে পড়বে। হলুদ শাড়িটা যত্ন করে পরবে।

রেনু কঠিন গলায় বলল, এই শালা! তুই এক্ষণ আমার সামনে থেকে দূর হ।

এক্ষণ যাব?

হ্যাঁ এক্ষণ যাবি। আমি এক থেকে তিন গুণব। এর মধ্যে না গেলে কষে চড় বসাব। এক... দুই...

তিন বলার আগেই উঠে পড়লাম। বিয়ের আগেই স্ত্রীর চড় থাপ্পড় খাওয়ার কোনো মানে হয় না।

মাজেদা খালা চোখ কপালে তুলে বললেন, তুই যাচ্ছিস কোথায়?

একজনকে এখনো দাওয়াত দেয়া হয় নি। দাওয়াতটা দিয়ে আসি।

টেবিলে খাবার দেয়া হয়েছে, খাবি না?

বিয়ের দিন উপাস থাকতে হয়। এতে শরীর শুদ্ধ হয়।

কে বলেছে?

উপবাস শরীর-মন দুইই শুদ্ধ করে, এই তথ্য তুমি কেন জানো না বুঝলাম না। তুমি রেনুকে নিয়ে খেতে বসো। আমি খাব তিন কবুলের পর।

পনেরো মিনিটের মধ্যে ফিরতে পারবি ? তোর খালু দশ পনেরো মিনিটের মধ্যে ফিরে আসবে।

গাড়ি নিয়ে ফিরছেন ?

ফিরবে যখন গাড়ি নিয়েই তো ফিরবে।

আমি বিড়বিড় করে বললাম, সর্বনাশ!

খালা বললেন, সর্বনাশ কেন ?

সর্বনাশ কেন যথাসময়ে জানবে। এখন না। আমি ধূমকেতুর বেগে বের হয়ে গেলাম। ধূমকেতুর বেগে বের হয়ে যাওয়ার বাগধারা কীভাবে চালু হয়েছে কে জানে! আমরা আকাশে যখন ধূমকেতু দেখি স্থির অবস্থাতেই দখি। হ্যালী সাহেবের ধূমকেতুকে দিনের পর দিন আকাশের একই কোণায় দেখা যেত।

গাড়ি এয়ারপোর্টের দিকে যাচ্ছে। রেনুর বাবাকে রিসিভ করে নিয়ে আসতে যাচ্ছি। আমার কোলে রেনুর খাতা। খাতার পাতা উল্টাচ্ছি, রেনু তার বাবা সম্পর্কে কিছু লিখেছে কি-না দেখছি। হোমওয়ার্ক করে যাওয়া। কয়েক পাতা উল্টাতেই পাওয়া গেল—

**আমার বাবা**

চেহারা : অপূর্ব।

স্বভাব : অপূর্বেরও দুই ডিগ্রি উপরে।

বুদ্ধি : অসাধারণ। তিনি Mensa group-এর সদস্য। যাদের IQ অনেক বেশি তারাই Mensa'র সদস্য হতে পারে। IQ রেটিং-এ বাবার IQ বৈজ্ঞানিক কল্পকাহিনীর লেখক Asimov-এর চেয়েও বেশি। Asimovও একজন Mensan.

আমি বাবার মতো Mensa'র সদস্য হতে চাই। তবে আমার IQ ভালো না।

আরেক জায়গায় লেখা—

**অতি উঁচু IQ লেভেলের মানুষদের বিষয়ে**
**বাবার বক্তব্য**

> I found that high IQ people can be just as stupid as low IQ people much more stupid.

রেনুর বাবার এই মন্তব্য পড়ে আমি নিশ্চিত হলাম মানুষটা বুদ্ধিমান। বিরাট বুদ্ধিমান এবং বিরাট বোকা এই দু'ধরনের মানুষের সঙ্গ আনন্দময়।

দেখা যাক সময়টা কেমন কাটে।

সাম্প্রতিক এক গবেষণায় চোখের জলের নানান গুণাগুণ পাওয়া গেছে। চোখের জল কঠিন জীবাণু বিধ্বংসী। ভিটামিন ই, অ্যান্টিঅক্সিডেন্ট এবং পটাশিয়াম সমৃদ্ধ। ভাইরাসকে কোনো কিছুই কাবু করতে পারে না। কিছু কিছু ভাইরাসের ক্ষেত্রে চোখের জল না-কি কার্যকর।

আমি এই মূল্যবান চোখের জলের অপচয় বর্তমানে লক্ষ করছি। ঘটনাটা ঘটছে জিয়া আন্তর্জাতিক বিমানবন্দরে। আমি হাতে একটা প্লাকার্ড নিয়ে দাঁড়িয়ে আছি। সেখানে লেখা—

Dr. T. FERGUSEN Jr.

ফার্গুসেন জুনিয়র রেনুর বাবা। আমি তাকে এয়ারপোর্ট থেকে নিতে এসেছি। খবর পাওয়া গেছে বিমান নেমেছে। যাত্রীরা ইমিগ্রেশনে আছে। আমার অপেক্ষা করতে ভালো লাগছে। চারপাশে চোখের জল দেখছি। মালয়েশিয়ায় একদল শ্রমিক যাচ্ছে। তাদের বিদায় দিতে আত্মীয়স্বজনরা এসেছেন। একেকজনের সঙ্গে ছয়জন-সাতজন করে। কে কার চেয়ে বেশি কাঁদবে সেই প্রতিযোগিতা চলছে। এয়ারপোর্ট যদি চোখের পানি জমা করে রাখার সিস্টেম করত তাহলে টনকে টন অশ্রু জমা করতে পারত। সেই অশ্রু নানান গবেষণায় ব্যবহার করা যেত।

আমি যথেষ্ট আগ্রহ নিয়ে কান্না দেখছি। গ্রুপে গ্রুপে অশ্রু বিসর্জন। প্রতিটি গ্রুপের আবার একজন করে গ্রুপ লিডার। এই লিডার ডিসিশান দিচ্ছেন— 'অনেক হয়েছে। এখন ছাড়। বিমানে উঠা লাগবে।'

একটা গ্রুপ পেলাম যেখানে কোনো কান্নাকাটি হচ্ছে না। পুরো গ্রুপে ভয়াবহ টেনশন। কারণ এই গ্রুপে পাসপোর্ট হারানো গেছে। পাসপোর্ট খোঁজা হচ্ছে। গ্রুপ লিডার সবাইকেই ধমকাচ্ছেন। কিছুক্ষণ পর পর বলছেন— 'এত বড় ঘটনা ক্যামনে ঘটল ? বেবাকতে গরু গাধা। বেবাকতে গরু গাধা।'

আশেপাশের লোকজনদের চোখে-মুখে সমবেদনার লেশ মাত্র দেখা যাচ্ছে না। সবার মুখের ভাব এমন যে বেকুবির শাস্তি হওয়া প্রয়োজন। পাসপোর্ট হারিয়েছে ভালো হয়োছে।

যার পাসপোর্ট হারিয়েছে তার বয়স অল্প। বোকা বোকা চেহারা। সে পুরোপুরি ভ্যাবদা মেরে গেছে। বেচারা মনে হয় সম্প্রতি বিয়ে করেছে। বউটি ছোটখাট। বয়সও মনে হয় অল্প। কিশোরী কিশোরী মুখ। গায়ে বিয়ের গয়না পরেছে, তবে সেই গয়না দেখা যাচ্ছে না, টকটকে লাল শাড়িতে শরীর ঢেকে রেখেছে। মাথায় চাঁদ তারা আঁকা টিকলি পরেছে। সে স্বামীকে সান্ত্বনা দিতে গিয়ে শাশুড়ির ধমক খেল। শাশুড়ি চোখমুখ শক্ত করে বললেন, ঢং করবা না। ঢংয়ের সময় নাই।

মালয়েশিয়ার যাত্রীরা একে একে ভেতরে ঢুকতে শুরু করেছে। পাসপোর্ট হারানো গ্রুপের গ্রুপ লিডার মেঝেতে বসে এখন মাথা চাপড়াচ্ছেন। বিড়বিড় করে বলছেন, হারমজাদারে জুতা মারা দরকার।

আমার এখন উচিত এগিয়ে যাওয়া। কারণ ওদের হারানো পাসপোর্ট খুব সম্ভবত আমার কাছে। সবুজ রঙের একটা পাসপোর্ট আমি খুঁজে পেয়েছি। পাসপোর্টে টাই পরা এক যুবকের ছবি। যুবকের নাম সুরুজ মিয়া। পাসপোর্টের ছবির সঙ্গে কিশোরী বধূর স্বামীর চেহারার তেমন মিল নেই। তারপরেও আমি এগিয়ে গেলাম। যুবকের কাছে গিয়ে জিজ্ঞেস করলাম, তুমি সুরুজ মিয়া?

যুবক হ্যাঁ-সূচক মাথা নাড়ল।

তোমার পাসপোর্ট পাওয়া গেছে। কিছুক্ষণের মধ্যে আমার হাতে চলে আসবে। চিন্তা করবে না। এত বেখেয়াল কেন?

পুরো দলটায় প্রাণ ফিরে এলো। গ্রুপ লিডার মেঝে থেকে উঠে দাঁড়াতে দাঁড়াতে বললেন— স্যার, আপনে এই হারামজাদা পুলার গাল বরাবর একটা থাপ্পড় দেন। বিয়ার পরে খালি বউ নিয়া আছে, দুনিয়ার দিকে খিয়াল নাই। চউখের পাতি না ফেইল্যা বউয়ের দিকে চায়া থাকলে পাসপোর্ট তো মিসিং হইবই। দেন থাপ্পড়।

আমি দিলাম থাপ্পড়। এই প্রথম থাপ্পড় খেয়ে কেউ একজন আনন্দে হেসে ফেলল। আমি বললাম, সুরুজ মিয়া, সবার কাছ থেকে বিদায় নাও। ইমিগ্রেশনে ঢোকার টাইম।

সুরুজ মিয়া বলল, স্যার পাসপোর্টটা?

আমি বললাম, পাসপোর্ট যথাসময়ে পাবে। আগেভাগে দিব আবার হারাবে।

গ্রুপ লিডার বলল, অতি 'সার্থকতা' কথা। পুলার গাল বরাবর আরেকটা থাপ্পড় দেন।

আমি পাসপোর্টটা বের করে সুরুজ মিয়ার স্ত্রীর হাতে দিয়ে বললাম, শক্ত করে ধরে রাখ। শেষ মুহূর্তে তোমার স্বামীর হাতে দিবে।

ধুম কান্না শুরু হয়ে গেল। গ্রুপ লিডার চিৎকার করে কাঁদছেন। তাঁর হাহাকারে এয়ারপোর্টের বাতাস ভারী হয়ে গেল— ও আমার সোনা মানিকরে! আইজ আমি গরিব, অক্ষম বইল্যা তোমারে বিদেশে পাঠোইতাছি। যে দুনিয়ার কিছু বুঝে না সে ঘরে নয়া বউ ফালায়া যাইতেছে বৈদেশ। কেন এত গরিব হইলাম, আমার আদরের ধন চাইল্যা যাইতেছে, আমি বাঁচব ক্যামনে ?

সবাই কাঁদছে। কাঁদছে না শুধু কিশোরী বউটি। স্বামীর পাসপোর্ট হাতে সে শক্ত হয়ে দাঁড়িয়ে আছে।

আমার পেছনে কেউ একজন দাঁড়িয়েছেন। ঘাড় ফিরিয়ে দেখি এক আমেরিকান প্রৌঢ়। তিনি হাত বাড়িয়ে বললেন, I am Ferguson. Hello.

আমিও বললাম, Hello.

সাহেব বললেন, এরা সবাই কাঁদছে কেন ?

ওদের একজন বিদেশে চলে যাচ্ছে। সেই জন্যেই কাঁদছে।

সুরুজ মিয়া স্ত্রীকে সঙ্গে নিয়ে এখন এসেছে আমার কাছ থেকে বিদায় নিতে। আমাকে জড়িয়ে ধরে কেঁদে বুক ভাসাচ্ছে। স্বামীর ব্যাকুল কান্না দেখে কিশোরী বধূও কাঁদতে শুরু করেছে।

সাহেব বললেন, তুমি কি ওদের কোনো আত্মীয় ?

আমি বললাম, না।

আমি তাকালাম সুরুজ মিয়ার স্ত্রীর দিকে। কাঁদতে কাঁদতে সে চোখ লাল করে ফেলেছে। মেয়েটির সামনে দীর্ঘ দিবস দীর্ঘ রজনীর বিচ্ছেদ। হে পরম করুণাময়! তুমি এই মেয়েটির বিচ্ছেদ যাতনা অসহনীয় করে দিও। মিলনে প্রেমিককে কখনো পাওয়া যায় না, তাকে পাওয়া যায় শুধুমাত্র বিরহে।

জেট লেগের কারণে ফার্গুসেন জুনিয়র কাহিল। তিনি এখন সিটে হেলান দিয়ে নিদ্রা যাচ্ছেন। আমার সঙ্গে তাঁর কথাবার্তা তেমন হয় নি। তিনি গাড়িতে উঠেই আমাকে বলেছেন (ইংরেজিতে), আমার মেয়েকে অন্য একটা বাড়িতে আটকে রেখে তার অপছন্দের একটি ছেলের সঙ্গে কেন বিয়ে দেয়া হচ্ছে ?

আমি বললাম, (বাংলায়। ভদ্রলোক বাংলা ভালো জানেন।) আপনি তো নিজেই যাচ্ছেন। মেয়েকে জিজ্ঞেস করে জেনে নেবেন।

তিনি বললেন, যে ছেলেটির সঙ্গে জোর করে আমার মেয়েকে বিয়ে দেয়া হচ্ছে তার বিষয়ে তুমি কিছু জানো ?

জানি।

ছেলে সম্পর্কে আমাকে একটা প্রাথমিক ধারণা দাও।

ছেলে ভালো। তার বুদ্ধিও ভালো। IQ কত তা বলা যাচ্ছে না। আমাদের দেশে IQ মাপার ব্যবস্থা নেই। ছেলেটার মনও ভালো। মানুষের দুঃখকষ্টে ব্যাথিত হয়। উচ্চশ্রেণীর দার্শনিক, চিন্তাভাবনা করতে ভালোবাসে।

ছেলে কী করে?

কিছুই করে না। ভ্যাগাবন্ড বলা যায়।

তার সোর্স অব ইনকাম কী?

এর তার কাছে হাতপাতা। ভিক্ষাবৃত্তি বলতে পারেন।

ফার্গুসেনের চোখ থেকে ঘুমঘুম ভাব উধাও হলো। তিনি অবাক হয়ে বললেন— ভিক্ষাবৃত্তি?

ভিক্ষাবৃত্তিকে আমাদের সমাজে খুব খারাপভাবে দেখা হয় না। আমরা সবাই কোনো না কোনোভাবে ভিক্ষা করি। আমাদের রাষ্ট্রও ভিক্ষুক রাষ্ট্র। দাতা দেশের ভিক্ষায় আমরা চলি।

ফার্গুসেন বিরক্ত গলায় বললেন, রাষ্ট্র আপাতত থাক। তুমি ছেলেটি সম্পর্কে বলো। আমি তার বিষয়ে জানতে চাই।

আপনি কী জানতে চান? আপনি যা জানতে চান সবই আপনাকে জানাতে পারব। আমি ঐ ছেলের নাড়িনক্ষত্র জানি।

কীভাবে জানো?

আমিই সেই ছেলে। আমার নাম হিমু।

আমি হ্যান্ডশেকের জন্যে হাত বাড়ালাম। ধারণা করেছিলাম, ফার্গুসেন আমার আবেদন অগ্রাহ্য করবেন। তা করলেন না। হ্যান্ডশেক করতে করতে বললেন— I see.

মেয়ের জামাইকে দেখে তিনি খুব আহ্লাদিত হলেন বলে মনে হলো না। গাড়ির সিটে হেলান দিয়ে চোখ বন্ধ করলেন। আমার ধারণা তিনি ঘুমিয়েও পড়লেন।

আমেরিকান শুনলেই বিশাল দেহী গোয়ার ধরনের মানুষের ছবি চোখে ভাসে। ভদ্রলোক সেরকম না। মাঝারি স্বাস্থ্যের লম্বা একজন মানুষ। মুখে খোঁচা খোঁচা শাদাপাকা দাড়ি। মাথাভর্তি চুল। মাথার চুল যথেষ্ট লম্বা। সবসময় রিডিং গ্লাস পরে থাকেন। চোখ দেখা যায়। চোখের নিচে অর্ধেক চশমা। যিশুখ্রিষ্টকে

নিয়ে ছবি বানালে এই ভদ্রলোককে নামভূমিকায় নেয়া যেত। শুধু চোখে কনটাক্ট লেন্স দিয়ে নীল করতে হবে। পশ্চিমাদের যিশুখ্রিষ্টের চোখ হয় নীল। যদিও তিনি জন্মসূত্রে আরব। আরবদের চোখ কটা, নীল না।

হিমু!

জি স্যার।

গাধার কাছে খড়ের মূল্য স্বর্ণের চেয়ে অনেক বেশি।

আপনার কাছে কি আমাকে গাধা মনে হচ্ছে?

তুমি এবং আমার কন্যা এই দু'জনের মধ্যে একজন অবশ্যই খড় পছন্দ করে। সেটা কে আমার দেখার শখ আছে। আমার কেন জানি এখন মনে হচ্ছে আমার মেয়েই খড় পছন্দ করে।

এরকম মনে করার কারণ কী?

আমি নিজে খড় পছন্দ করি। আমার মেয়ে তো আমার মতোই হবে। ভালো কথা, তোমার এই গাড়িটা আরামদায়ক।

আমি বললাম, আমার গাড়ি বলছেন কেন? আমি এমন গাড়ি পাব কোথায়? এটা চোরাই গাড়ি।

তুমি কি আমার সঙ্গে ঠাট্টা করছ?

ঠাট্টা করছি না। চোরাই গাড়ি। যে-কোনো মুহূর্তে আমাদের পুলিশ ধরতে পারে।

Are you serious?

জি স্যার।

উনি গাড়ির ব্যাক সিটে মাথা রেখে আবারো চোখ বন্ধ করলেন। নাক ডাকার মতো শব্দ হচ্ছে। মনে হচ্ছে ঘুমিয়ে পড়েছেন। অনেক মানুষের দুশ্চিন্তায় ভালো ঘুম হয়, উনি মনে হচ্ছে সেই শ্রেণীর। আমি তাঁকে নিয়ে যাচ্ছি হোটেল সোনারগাঁয়ে। সেখানে তাঁর জন্যে রুম বুক করা আছে। বিশ্বরোডের কাছাকাছি এসে ট্রাফিক সিগন্যালে গাড়ি থামল। মোটর বাইকে চড়ে একজন পুলিশ সার্জেন্ট এগিয়ে আসছে। তার চোখে সানগ্লাস। সে কোনদিকে তাকাচ্ছে কী দেখছে সানগ্লাসের কারণে বোঝার উপায় নেই। আমার কাছে মনে হলো, সে আমাদের গাড়ির নাম্বার প্লেট দেখছে। ওয়াকিটকিতে কার সঙ্গে কথা বলা শুরু করেছে। অবস্থা মোটেই ভালো বোধ হচ্ছে না।

খালু সাহেবকে না বলে গাড়ি নিয়ে বের হবার ব্যাপারটা ড্রাইভার মকবুল দুপুর থেকে টের পেয়েছে। তবে সে মোটেই ঘাবড়ায় নি। এখন ঘাবড়ে গেল।

লাল বাতি নিভে সবুজ বাতি জ্বলেছে। মকবুল ইচ্ছা করলে একটানে গাড়ি নিয়ে বের হয়ে যেতে পারত। তা-না করে দরজা খুলে এক দৌড়ে সে পগার পার। সে আগে কিছুদিন ট্রাক চালিয়েছে। ট্রাক ড্রাইভাররা ট্রাক ফেলে দৌড়ে পালানোয় বিশেষ প্রশিক্ষণপ্রাপ্ত হয়। মকবুলের দৌড় দেখে এই বিশ্বাস আমার দৃঢ় হলো।

পুলিশ সার্জেন্ট সমানে বাঁশি বাজাচ্ছে। আরো পুলিশ জড়ো হয়েছে। বাঁশির শব্দে ফার্গুসেন জুনিয়র জেগে উঠে বললেন, কী হয়েছে?

আমি বললাম, খুব সম্ভবত আমরা পুলিশের হাতে অ্যারেস্ট হতে যাচ্ছি।

বলো কী?

আমাদের ড্রাইভার দৌড় দিয়ে পালিয়ে গেছে। আমিও দৌড় দিতাম। আপনাকে ফেলে পালাতে হয় বলে পালাই নি। বিপদ দেখে জামাই শ্বশুর ফেলে পালিয়ে যাবে এটা ঠিক না।

পুলিশ সার্জেন্ট গাড়ির দরজা খুলল। ফার্গুসেন জুনিয়র সঙ্গে সঙ্গে দুই হাত উপরে তুললেন। আমেরিকান ট্রেনিং। পিস্তল হাতে পুলিশ দেখা মাত্র আমেরিকানরা সুবোধ বালকের মতো দু'হাত উপরে তুলে। ফার্গুসেনের দেখাদেখি আমিও হাত উপরে তুললাম। পুলিশ সার্জেন্ট বললেন, এটা তো চোরাই গাড়ি।

আমি বললাম, ইয়েস স্যার। আপনি অতি সত্য কথা বলেছেন।

গাড়ি কে চুরি করেছে?

আমি চুরি করেছি স্যার। ড্রাইভার মকবুলের সহায়তায় চুরি। মূল পরিকল্পনা আমার।

বিদেশী এই শাদা চামড়া কে?

উনি আমার শ্বশুর স্যার।

তোমার শ্বশুর? উনি তোমার শ্বশুর?

এখনও শ্বশুর হন নি। আজ রাত ন'টার মধ্যে হয়ে যাবেন ইনশাল্লাহ। উনার একমাত্র মেয়েকে আমি বিবাহ করছি। বিয়ের শাড়ি কেনা হয়েছে। হলুদ রঙের শাড়ি। ইচ্ছা করলে শাড়িটা দেখতে পারেন। আমার সঙ্গেই আছে।

সার্জেন্ট এক চড় কষালেন। আমি আগে থেকে প্রস্তুত ছিলাম বলে যতটা ব্যথা পাওয়ার কথা ততটা পেলাম না। আমার হাতে সঙ্গে সঙ্গে হাতকড়া পরিয়ে রাস্তার একপাশে টেনে নিয়ে যাওয়া হলো। ফার্গুসেন সাহেব আমেরিকান বলেই

হয়তো তাঁর হাতে হাতকড়া পরানো হলো না। তাঁকেও রাস্তার অন্যপাশে নিয়ে যাওয়া হলো। বেচারা পুরো ঘটনায় খুবই হকচকিয়ে গিয়েছে। শুরুতে হাত মাথার উপর তুলেছিল, এখনো নামায় নি। পুলিশ সার্জেন্ট আরো দু'জন এসেছে। তারা বিদেশী আসামি দেখেই মহাউৎসাহে ক্রস একজামিনেশন শুরু করে দিয়েছে।

এই গাড়ি যে একটা চোরাই গাড়ি এটা তুমি জানো ?

গাড়িতে উঠার পর জেনেছি। আগে জানতাম না।

এই গাড়ি যে একটা প্রাইভেট কারকে পেছন থেকে কয়েকবার ধাক্কা দিয়েছে, গাড়ির আরোহীদের মেরে ফেলার চেষ্টা করেছিল, এটা জানো ?

না।

ঐ গাড়িতে বিদ্যুৎ প্রতিমন্ত্রীর এক শ্যালক ছিলেন। উনিই গাড়ির নাম্বার নোট করে পুলিশকে জানিয়েছেন।

আমি কিছুই জানি না।

তুমি কি আন্তর্জাতিক ড্রাগ ব্যবসার সঙ্গে জড়িত ?

না।

তোমার কাছে কি কোনো ড্রাগস আছে ?

আমার কাছে কোনো ড্রাগস নেই।

ইউ আর আন্ডার অ্যারেস্ট।

ফার্গুসেন চোখ বড় বড় করে আমার দিকে তাকিয়ে আছেন। ঘনঘন নিঃশ্বাস ফেলছেন। আমি পুলিশ সার্জেন্টকে বললাম, স্যার উনি নির্দোষ মানুষ। উনার কাছে কিছুই নাই। তবে আমার কাছে এক পুরিয়া হিরোইন আছে। আমি দুই পুরিয়া কিনেছিলাম। এক পুরিয়া একজনকে দিয়েছি, আরেকটা নিজের কাছে রেখে দিয়েছি।

ফার্গুসেন জুনিয়র বিড়বিড় করে বললেন, My God!

পুলিশ সার্জেন্ট তাঁকে জিজ্ঞেস করলেন, হলুদ পাঞ্জাবি পরা এই ছেলেকে কি আপনি চেনেন ?

না।

আরেকবার জিজ্ঞেস করছি, তাকে চেনেন ?

অবশ্যই না।

তাকে চেনেন না কিন্তু তার চোরাই গাড়িতে ঘুরছেন, এটা কেমন কথা ?

ফার্গুসেন চুপ করে গেলেন। তিনি হতাশ চোখে আমার দিকে তাকাচ্ছেন।

সার্জেন্ট ধমক দিলেন, চুপ করে থাকবেন না। কথা বলুন।

ফার্গুসেন চাপা গলায় বললেন, তাকে আমি আজ এই প্রথম দেখলাম।

তার সঙ্গে আপনার মেয়ের বিয়ে হচ্ছে, এই তথ্য কি সঠিক ?

আমি কিছুই বলতে পারছি না। আমি অত্যন্ত কনফিউজড।

থানায় চলুন।

ফার্গুসেন হতাশ গলায় কয়েকবার বললেন— Oh my God! Oh my God!

পুলিশের প্রিজন ভ্যান চলে এসেছে। আমাদেরকে প্রিজন ভ্যানে তোলা হচ্ছে। সীট বলে কিছু নেই। গাড়ির ছাদ থেকে হুকের মতো ঝুলছে। হুক ধরে দাঁড়িয়ে থাকা। গাড়ির ছাদের সঙ্গে গ্রীল দেয়া খুপড়ি জানালার মতো আছে। পায়ের আঙুলে ভর দিয়ে উঁচু হয়ে দাঁড়ালে বাইরের পৃথিবীর কিছুটা দেখা যায়। আমি ভবিষ্যত শ্বশুর সাহেবের দিকে তাকিয়ে মধুর গলায় বললাম, স্যার জানালা দিয়ে ঢাকা শরহটা দেখে নিন। প্রিজন ভ্যান থেকে শহর দেখার আলাদা মজা আছে।

ফার্গুসেন বললেন, আমাকে সত্যি করে বলো তো, তোমার সঙ্গেই কি আমার মেয়ের বিয়ে হচ্ছে ?

জি স্যার।

আমি তো কিছুই বুঝতে পারছি না।

বুঝতে না পারারই কথা। এই জন্যেই কবি বলেছেন—

> The hurt is not enough :
> I long for weight and strength
> To feel the earth as rough
> To all my length.

ফার্গুসেন বললেন, এই কবিতা কার লেখা জানো ?

আমি বললাম, জানি স্যার। Robet Frost. আপনার প্রিয় কবি।

রবার্ট ফ্রস্ট আমার প্রিয় কবি জানলে কীভাবে ?

আপনার কন্যা রেনুর খাতা পড়ে জেনেছি। চার লাইনের এই কবিতা রেনুর খাতায় পেয়েছি। মুখস্ত করে রেখেছিলাম সুযোগমতো আবৃত্তি করে আপনাকে চমকে দেবার জন্যে। আপনি কি চমকেছেন ?

ফার্গুসেন জবাব দিলেন না। কঠিন চোখে তাকিয়ে রইলেন।

আপনাকে চমকে দেবার আরো ব্যবস্থা আমার কাছে আছে। আপনার অনুমতি পেলে চেষ্টা করে দেখতে পারি।

তুমি চুপ করে থাকলে খুশি হবো। এই গাড়ি কতক্ষণে থানায় পৌঁছবে বলতে পার ?

দেরি হবে। বিভিন্ন জায়গা থেকে অপরাধী ধরে ধরে সন্ধ্যাবেলায় থানায় নিয়ে যাবে। তবে সত্যি কথা বলতে কী, আমরা দু'জনই ভাগ্যবান।

আমরা ভাগ্যবান ?

অবশ্যই। আমাদের দেশে র‍্যাব নামের এক বস্তু আছে। এরা আসামি ধরে কিন্তু থানায় জমা দেয় না।

তারা কী করে ?

তারা থানা কোর্ট হাজত এইসবের ঝামেলায় যেতে চায় না। মেরে ফেলে।

মেরে ফেলে মানে ?

কোনো একটা ফাঁকা জায়গায় নিয়ে গিয়ে বলে, তোমাকে ছেড়ে দিচ্ছি। দৌড় দাও। ঝেড়ে দৌড় দেবে। খবরদার পেছনের দিকে তাকাবে না। অপরাধী ঝেড়ে দৌড় দেয়, তখন পেছন থেকে গুলি।

ফার্গুসেন তাকিয়ে আছেন। আমি হাসিমুখে বললাম, এই জন্যেই আপনার প্রিয় কবি Robert Frost বলেছেন— The hurt is not enough.

আমরা হাজতে বসে আছি। হাজতবাস আমার জন্যে নতুন কোনো অভিজ্ঞতা না। আমার খারাপ লাগছে না। দেয়ালে হেলান দিয়ে পা ছড়িয়ে বসে থাকার আলাদা আনন্দ আছে। নিজেকে সক্রেটিস সক্রেটিস মনে হয়। সক্রেটিস তাঁর শেষ সময় এরকম ছোট্ট একটা ঘরে পা ছড়িয়ে বসেছিলেন। তাঁর সামনে ছিল হেমলক বিষের পেয়ালা হাতে জল্লাদ। সক্রেটিস জল্লাদকে বললেন, আশা করি তুমি তোমার কাজ ভালো মতো জানো। পেয়ালায় চুমুক দিয়ে শেষ করার পর আমার কী হবে বলো তো! জল্লাদ বলল, প্রথমে আপনার দু'টা পা ভারি হয়ে যাবে। তখন বুঝতে হবে বিষ ক্রিয়া করতে শুরু করেছে। তখন আপনি শুয়ে পড়বেন। ঘুমে আপনার চোখ জড়িয়ে যাবে।

সক্রেটিস অবাক হয়ে বললেন, পুরো ব্যাপারটা ঘুমের মধ্যে ঘটলে আমি মৃত্যু অনুভব করব কীভাবে ? আমি মৃত্যু অনুভব করতে চাই।

সক্রেটিস তাঁর চারপাশের জগৎ সবসময় অনুভব করতে চাইতেন। আমরা সাধারণ মানুষ। আমরা অনুভবের ধার ধারি না। হাজতখানা কেউ অনুভব করতে চাইছে না। ড. ফার্গুসেন হতভম্ব অবস্থায় আছেন। মনে হচ্ছে তিনি এখন জাগতিক সমস্ত অনুভবের ঊর্ধ্বে। একবার তিনি শুধু তূর্যকে দেখিয়ে বললেন, এই ছেলেটিও কি ক্রিমিন্যাল ?

আমি বললাম, জি।

এমন রূপবান, ইনোসেন্ট লুকিং ইয়াংম্যান। সে ক্রিমিন্যাল ?

ক্রিমিন্যালের চেয়েও বড় কথা সে ড্রাগ অ্যাডিক্ট।

তুমি তাকে চেন কীভাবে ?

আমি জবাব না দিয়ে হাসলাম। ড. ফার্গুসেন বললেন, ছেলেটির সঙ্গে কথা বলতে ইচ্ছে করছে।

কথা বলুন।

তোমাদের আইন কী বলে ? ক্রিমিন্যালরা কি নিজেদের মধ্যে কথা বলতে পারে ?

ক্রিমিন্যাল তো ক্রিমিন্যালের সঙ্গেই কথা বলবে। সাধু কথা বলবে সাধুর সঙ্গে। আপনি নিজেও ক্রিমিন্যাল। গাড়ি চোরদের সঙ্গে যুক্ত। আপনি অন্য আরেকজন ক্রিমিন্যালের সঙ্গে কথা বলবেন, সেটাই তো স্বাভাবিক।

এই জটিল সমস্যা থেকে থেকে উদ্ধার পাওয়ার উপায় কী? তোমার কি মনে হয় না আমার একজন ল'ইয়ারের সঙ্গে কথা বলা উচিত এবং আমার অ্যাম্বেসিকেও জানানো উচিত?

আমি হ্যাঁ-সূচক মাথা নাড়লাম। ফার্গুসেন বললেন, আমার ইউরিনেট করার প্রয়োজন হয়ে পড়েছে। এখানে বাথরুমের ব্যবস্থা কী?

জটিল অবস্থা হলে পুলিশ ভাইদের হাতে-পায়ে ধরে বাথরুমে যাওয়া যায়। সবসময় পুলিশ ভাইরা রাজি হন না।

তখন কী করা হয়?

কাপড়চোপড় নষ্ট করতে হয়। আপনি বরং এই ছেলের সঙ্গে কথা বলুন। জটিল কোনো বিষয় নিয়ে আলোচনা শুরু করুন। তাহলে বাথরুমের ব্যাপারটা আপাতত ভুলে থাকতে পারবেন।

ফার্গুসেন তূর্যের দিকে এগিয়ে গেলেন, সংকোচের সঙ্গেই হাত বাড়িয়ে বললেন, হ্যালো!

তূর্য নিখুঁত ইংরেজিতে চমৎকার উচ্চারণে বলল, আপনি রেনুর বাবা। আপনার সঙ্গে পরিচিত হয়ে সম্মানিত বোধ করছি।

ফার্গুসেন হতভম্ব। কিছুক্ষণ ফ্যালফ্যাল করে তাকিয়ে থেকে বললেন, তুমি আমাকে চেন কীভাবে?

তূর্য বলল, আমি আপনার অনেক ছবি দেখেছি। রেনুর কাছে দেখেছি।

রেনুর সঙ্গে তোমার পরিচয় আছে?

জি।

তুমি কি সেই ভয়ঙ্কর ড্রাগ অ্যাডিক্ট যার কাছ থেকে আমার মেয়েকে আলাদা রাখার চেষ্টা করা হচ্ছে?

জি।

তোমাকে দেখে মনে হয় না তুমি অ্যাডিক্ট। তুমি কি সত্যি অ্যাডিক্ট?

জি। একসময় ছিলাম। এখন ছেড়ে দিয়েছি।

কবে ছাড়লে?

আজই ছেড়েছি। আজ সকাল এগারোটায় ছেড়েছি।

আবার কখন ধরবে?

মনে হয় না আবার ধরব। হাজতখানায় আমাকে এক পুরিয়া হিরোইন দেয়া হয়েছে। এখনো ব্যবহার করি নি, পকেটে নিয়ে বসে আছি। কাজেই আমি এখন নিশ্চিত যে, আমার ভেতর মানসিক শক্তিটা তৈরি হয়েছে।

হাজতে তোমাকে হিরোইন কে সাপ্লাই দিল?

তূর্য হাত ইশারায় আমাকে দেখিয়ে দিল। ফার্গুসেন আমার কাছ থেকে একটু সরে বসলেন। তিনি এখন আমার দিকে ভীত চোখে তাকাচ্ছেন। যে মানুষ থানা হাজতে হিরোইন সাপ্লাই করে সে সহজ ব্যক্তি না। তার কাছ থেকে যত দূরে থাকা যায় ততই ভালো। হাজতের ঘর ছোট, বেশি দূরে যাওয়া সম্ভবও না।

আমি উদাস মুখে বসে আছি। মহান দার্শনিকের মতো জীবনকে অনুভব করার চেষ্টা করছি। কী ঘটছে আমার চারপাশে? তেমন কিছু ঘটছে না। তূর্য এবং ফার্গুসেন নিচু গলায় কথা বলছেন। তাদের বডি ল্যাংগুয়েজ বলে দিচ্ছে তারা একে অন্যকে পছন্দ করেছেন। ফার্গুসেনের পছন্দের মাত্রাটা বেশি। কারণ তিনি এখন তূর্যকে কবিতা আবৃত্তি করে শোনাচ্ছেন।

When you are old and grey and full of sleep,
And nodding the fire, take down this book,
And slowly read, and dream off the soft look
Your eyes had once, and off their shadows deep;

তূর্য আগ্রহ করে শুনছে। তার চোখ জ্বলজ্বল করছে। হাজতের এক কোনায় কম্বল মুড়ি দিয়ে একজন শুয়ে আছে, তার মুখ দেখা যাচ্ছে না। প্রচণ্ড গরমে কম্বল মুড়ি দিয়ে সে কেন শুয়ে আছে সেই রহস্যও ভেদ হচ্ছে না। মেঝেতে কেউ চা ফেলেছে। চায়ের উপর কিছু মাছি ভনভন করছে। এক্সপোর্ট কোয়ালিটির কিছু মশা দেখা যাচ্ছে। এরা প্রাণশক্তিতে ভরপুর। দিনের আলো অগ্রাহ্য করে উড়াউড়ি করছে। এদের ভয়ডরও মনে হয় কম। হাতের নাগালের মধ্যেই উড়ছে। এই হচ্ছে হাজতের ভেতরের জীবন। এখানে কিছুই ঘটছে না, তবে অনেক কিছুই ঘটার সম্ভবনা।

আমার ক্ষীণ সন্দেহ কম্বল মুড়ি দেয়া লোকটা মৃত। গায়ে যাতে দাগ না পড়ে তার জন্যে কম্বল দিয়ে মুড়িয়ে পেটানোর একটা বিশেষ পদ্ধতি পুলিশের আছে। হঠাৎ হঠাৎ পদ্ধতিতে সামান্য গণ্ডগোল হয়। আসামি মারা যায়। পুলিশের তাতে তেমন অসুবিধা হয় না। হার্ট অ্যাটাকে মানুষ তো কতই মরে। পুলিশের ডেডবডি ডিসপোজাল সিস্টেমও ভালো। সম্ভব অসম্ভব যে-কোনো

জায়গায় তারা ডেডবডি ফেলে দিয়ে আসতে পারে। নিজেদের পানির ট্যাংকে ডেডবডি ফেলে সেই পানি খেতেও তাদের আপত্তি নেই।

কম্বলে মোড়া মানুষটা যে মৃত তা ভাবার পেছনে আমার প্রধান কারণ হচ্ছে— কয়েকটা পিঁপড়ার সারি ঐ দিকে যাচ্ছে। পিঁপড়ার সারি কখনো জীবন্ত মানুষের দিকে যায় না। জীবন্ত মানুষকে পিঁপড়ারা ভয় করে।

আমি চোখ বন্ধ করে দেয়ালে হেলান দিলাম। হাজত নাটকের যবনিকাপাতের সময় হয়ে গেছে। যে-কোনো সময় গাড়ি উদ্ধারের জন্যে খালু সাহেব চলে আসবেন। হাজতে তাঁর বন্ধুকে দেখে যতটুকু বিস্মিত হওয়া প্রয়োজন তারচে' অনেক বিস্মিত হবেন। ফার্গুসেন হাজত থেকে একা বের হবেন না, তূর্যকে নিয়ে বের হবেন। হাজত নাটকের যবনিকা ঘটবে।

আমি তূর্যকে বললাম, তোমাকে যে টেলিফোনটা দিয়েছিলাম সেটা দাও তো। খালার সঙ্গে কথা বলি।

প্রয়োজনের সময় নেটওয়ার্ক ব্যস্ত থাকে কিংবা ফোনের চার্জ থাকে না। নেটওয়ার্ক আছে, ফোনে চার্জও আছে। কাজেই এখন সময় সাধারণ।

হ্যালো মাজেদা খালা।

তুই কোথায়?

আমি ভালো জায়গাতেই আছি। খালু সাহেব কোথায়? উনার গাড়ি যে উদ্ধার হয়েছে এই খবর উনি জানেন?

হ্যাঁ জানে। যে হারামজাদা গাড়ি চুরি করেছিল, পুলিশ তাকে ধরেছে। সে সব স্বীকার করেছে। পুলিশের ডলা খেয়েছে। স্বীকার না করে উপায় আছে?

খালু সাহেব কোথায়?

সে নারায়ণগঞ্জে ছিল, ঢাকা ফেরার পথে ট্রাফিক জ্যামে আটকা পড়েছে। রাস্তা বন্ধ। গাড়ি ভাঙচুর হচ্ছে। কতক্ষণে এই জট খুলে কে জানে!

বিয়ের কনের অবস্থা কী?

রেনু ভালো আছে। হাসিখুশি।

বিয়ের শাড়ি পরেছে?

না। এত সস্তার শাড়ি এই মেয়ে পরবে! তুই কী মনে করে এই শাড়ি কিনলি?

রেনু বলছিল ব্লেড দিয়ে হাত কাটবে— এখন নিশ্চয়ই তেমন কিছু বলছে না?

না। সে কিছুক্ষণ আগে শাওয়ার নিয়েছে। নিজে বানিয়ে এক কাপ কফি খেয়েছে। আমাকেও বানিয়ে দিয়েছে। তুই কতক্ষণে আসবি?

একটু দেরি হবে।

দেরি হলে অসুবিধা নেই। দেরি হওয়া বরং ভালো। এর মধ্যে তোর খালুও চলে আসবে। বাড়িতে একটা বিয়ে হবে, সে থাকবে না— এটা কেমন কথা!

ফার্গুসেন কঠিন চোখে আমার দিকে তাকাচ্ছেন। তাঁর দৃষ্টিতে শঙ্কা। আমি তাঁকে হাসিমুখে বললাম, আপনার জন্যে একটা ভালো খবর আছে, আরেকটা খারাপ খবর আছে। কোনটা আগে শুনতে চান?

ভালো খবরটা কী?

রেনু ঠিক করেছিল, ব্লেড দিয়ে হাতের রগ কেটে স্যুইসাইড করবে। এই প্রজেক্ট মনে হচ্ছে বাতিল। সে আনন্দে আছে। একটু আগে নিজের হাতে কফি বানিয়ে খেয়েছে।

রেনু ব্লেড দিয়ে হাতের রগ কাটতে চাচ্ছিল?

জি। ব্লেড আমি কিনে দিয়ে এসেছিলাম।

তুমি কিনে দিয়ে এসেছিলে?

জি।

জানতে পারি কেন?

আমি সবসময় চাই, সবাই যেন তাদের পরিকল্পনা কার্যকর করতে পারে। অন্যের পরিকল্পনায় সাহায্য করাকে আমি মানবিক ধর্ম মনে করি।

তোমার মানসিক সুস্থতা বিষয়ে আমার সন্দেহ হচ্ছে।

এটা দৃষ্টিভঙ্গির ব্যাপার। একজন মহান দার্শনিক বলেছেন— 'তুমি নিজেকে যা মনে করো তুমি তাই। তুমি যদি নিজেকে মহাপুরুষ ভাব তুমি মহাপুরুষ। আর তুমি যদি নিজেকে পিশাচ ভাব তুমি পিশাচ।'

যে মহান দার্শনিক এই কথা বলেছেন তাঁর নাম জানতে পারি?

তিনি আমার বাবা। মহাপুরুষ বানাবার তিনি একটি স্কুল খুলেছিলেন। তিনি একটি স্কুল চালাতেন। আমি সেই স্কুলের ছাত্র। তবে দুঃখের বিষয় হচ্ছে গ্র্যাজুয়েশনের আগেই বাবা মারা গেলেন।

দয়া করে চুপ কর, আর কিছু জানতে চাচ্ছি না। খারাপ খবরটা কী?

খারাপ খবর হলো— আপনার রিলিজ পেতে একটু দেরি হবে। যিনি আপনাকে রিলিজ করবেন, তিনি রাস্তার ট্রাফিক জ্যামে আটকা পড়েছেন। গাড়ি ভাঙচুর হচ্ছে। আমার কেন জানি মনে হচ্ছে তিনি যে গাড়িতে আছেন সেটা ভাঙা হবে।

গাড়ি ভাঙচুর হচ্ছে কেন ?

আমাদের এখানে গাড়ি ভাঙচুর করতে কারণ লাগে না। যে-কোনো কারণে মেজাজ খারাপ হলে আমরা প্রথম যে কাজটা করি সেটা হচ্ছে গাড়ি ভাংচুর। আমি এক্ষুনি খোঁজ নিয়ে জানাচ্ছি— গাড়ি ভাঙচুরের অবস্থা কী ?

তোমাকে কোনো খোঁজ নিতে হবে না।

আমি উনার আপত্তি অগ্রাহ্য করেই খালু সাহেবকে টেলিফোন করলাম। তাঁর টেলিফোন ব্যস্ত। অনেক টেপাটেপি করে তাঁকে পাওয়া গেল। তিনি বিরক্ত গলায় বললেন, কী চাও ?

আমি আগ্রহের সঙ্গে বললাম, আপনার গাড়ি তো পাওয়া গেছে।

খালু সাহেব বললেন, পুলিশ তাই জানিয়েছে। কোথায় পাওয়া গেছে, গাড়িচোর ধরা পড়ল কি-না কিছুই না বলে টেলিফোন রেখে দিল। এরপর থেকে কতবার যে টেলিফোন করলাম— কেউ টেলিফোন ধরে না।

খালু সাহেব, গাড়িচোর ধরা পড়েছে। সে হাজতে আছে।

বদমাইশ মকবুলটা কি ধরা পড়েছে ?

না। পুলিশ তার দিকে ধাওয়া করার আগেই সে এক দৌড়ে হাওয়া।

গাড়ি আছে কোথায় জানো ?

গাড়ি আছে ধানমণ্ডি থানায়। ওসি সাহেবের নির্দেশে কিছুক্ষণের মধ্যেই ফুল-টুল দিয়ে গাড়ি সাজানো হবে।

ফুল দিয়ে গাড়ি সাজানো হবে মানে ?

বরের গাড়ি, না সাজালে কি হয় ? বর তার বন্ধুবান্ধব নিয়ে এই গাড়িতে করেই যাবে।

বর মানে ? বরটা কে ?

এত তাড়াতাড়ি সব ভুলে গেলেন ? বর আমি।

হিমু, Enough is enough.

জি আচ্ছা।

তুমি কখনো আমার সঙ্গে টেলিফোনে যোগাযোগ করার চেষ্টা করবে না। কখনো না।

সরাসরি দেখা তো করতে পারব ?

তাও পারবে না।

বিয়ের পর আমরা স্বামী-স্ত্রী কি আপনাকে কদমবুসিও করব না?

তুমি কোনো একটা খেলা নিয়ে মেতেছ। বিশেষ কোনো খেলা খেলছ। আমি তোমার খেলায় নেই।

জি আচ্ছা।

মনে রেখো, টেলিফোনে সরাসরি আমার সঙ্গে কোনো যোগাযোগ করবে না।

আপনি যদি টেলিফোন করেন তখন কি ধরব?

আমি তোমাকে নিশ্চিত করছি— কখনো তোমাকে টেলিফোন করব না। Never ever. তোমার খালা এবং আমি ভিন্ন ব্যক্তি। দুইজন দুই গ্রহে বাস করি। তোমার খালা অকারণে তোমাকে দিনের মধ্যে একশবার টেলিফোন করবে। কারণ তার টেলিফোনে কথা বলার ব্যাধি আছে। আমার নেই। এটা তোমার সঙ্গে আমার শেষ সংলাপ। আর তোমার সঙ্গে কথা হবে না।

খালু সাহেব, আমার ধারণা কিছুক্ষণের মধ্যেই আপনি আবার আমাকে টেলিফোন করবেন। আমি সেই টেলিফোন ধরব না। আপনি কিন্তু করতেই থাকবেন। করতেই থাকবেন।

Stupid!

খালুসাহেব, Stupid শব্দের উৎপত্তি কি আপনি জানেন? সর্বপ্রথম এই শব্দ ব্যবহার করা হয় অ্যাথেন্সবাসীদের প্রতি। সমগ্র অ্যাথেন্সবাসীকেই Stupid বলা হয়েছিল, কারণ তারা গণতান্ত্রিক কার্যক্রমে অংশ নেয় নি।

চুপ ফাজিল!

ফাজিল শব্দের অর্থ জানলে আপনি আমাকে এই গালি দিতেন না। এটা আরবি ভাষার একটা শব্দ। এর অর্থ জ্ঞানী।

খালুসাহেব লাইন কেটে দিলেন। এই কাজটা তাঁর আরো আগেই করা উচিত ছিল। এতক্ষণ কেন করলেন না কে বলবে!

আমি কম্বলে মোড়া ডেডবডির দিকে তাকিয়ে খালু সাহেবের টেলিফোনের অপেক্ষা করছি। তিনি টেলিফোন করলেন না। মাজেদা খালা করলেন।

হ্যালা খালা!

হ্যালো। কী জন্যে টেলিফোন করেছি ভুলে গেছি। অথচ তোর সঙ্গে জরুরি কথা ছিল। জরুরি কথা বলার জন্যে চুলায় গরুর মাংস রেখেই চলে এসে টেলিফোন করলাম— এখন কিছুই মনে পড়ছে না। কী করি বল তো?

আমি বুদ্ধি করে কথাটা তোমার মাথার ভেতর থেকে বের করে নিয়ে আসতে পারি। চেষ্টা করব?

কর।

কেউ একজন তোমাকে এমন কিছু বলেছে যা তোমার আমাকে বলার কথা। সেই কেউ একজন তোমার তেমন পরিচিত না। পরিচিত হলে নাম মনে পড়ত...।

থাক থাক আর বলতে হবে না। এখন সব মনে পড়েছে। রেনুর মা টেলিফোন করেছিলেন। তোকে চাচ্ছিলেন। রেনুর বাবা সম্পর্কে জানতে চাচ্ছিলেন। তোর তাঁকে এয়ারপোর্ট থেকে নিয়ে আসার কথা।

নিয়ে তো এসেছি।

উনি কোথায়?

উনি হাজতে।

হাজতে মানে?

পুলিশ চুরির অপরাধে তাঁকে হাজতে ঢুকিয়ে দিয়েছে। উনার পেয়েছে বাথরুম। এখনো বাথরুমে যাবার সুযোগ পান নি। শাদা চামড়া হিসেবে পুলিশ যে extra খাতির করবে, তা করছে না।

কী আবোলতাবোল বকছিস?

আবোলতাবোল হলেও যা বলছি সবই সত্যি। তুমি মনে করে দেখ তো— আমি কি কখনো এমন কিছু বলেছি পরে দেখা গেছে সেটা মিথ্যা?

উনি কার গাড়ি চুরি করেছেন?

খালু সাহেবের গাড়ি। তবে উনি সরাসরি চুরির সঙ্গে যুক্ত না। উনি পাকেচক্রে ধরা খেয়েছেন।

তোর খালু সাহেব কি ঘটনা জানে?

না।

তুই নিজে কোথায়?

আমিও হাজতে।

খালা টেলিফোন নামিয়ে রাখলেন। মনে হয় অধিক শোকে লোহা, পাথরের চেয়েও কঠিন।

তোকে আল্লার দোহাই লাগে, সত্যি কথা বল।

আমি সত্যি কথাই বলছি। তুমি কি ফার্গুসেন জুনিয়ারের সঙ্গে কথা বলবে?

খালা কিছু বললেন না। আমি টেলিফোন ফার্গুসেনের দিকে বাড়িয়ে বললাম, একটু কথা বলুন তো। ওপাশে আমার মাজেদা খালা। বলুন, হ্যালো মাজেদা। হাউ আর ইউ।

ফার্গুসেন যন্ত্রের মতো বললেন, হ্যালো মাজেদা। হাউ আর ইউ।

যা ভেবেছিলাম তাই হচ্ছে। খালু সাহেবের টেলিফোন আসতে শুরু করেছে। একের পর এক আসছে, আমি কেটে দিচ্ছি। মানুষটা রাগে চিড়বিড় করছে ভেবে আনন্দ পাচ্ছি। আমার আনন্দ পাবার জন্যে আরেকজনকে রাগে ছটফট করতে হচ্ছে। সব মিলিয়ে সমান। অংকের ভাষায়—

আনন্দ $= f(x, y, z)$

$x =$ কষ্ট, $y =$ বেদনা, $z =$ দুঃখ

দুঃখ = বেদনা

আনন্দ $- f(x, y, z) = 0$

একজন ম্যাসাজম্যান গা টিপে অন্য একজনকে শারীরিক আরাম দিচ্ছে। অন্য একজনকে এই আরাম দেয়ার জন্যে ম্যাসাজম্যানকে শারীরিক কষ্টের ভেতর দিয়ে যেতে হয়েছে।

কম্বলে মুড়ি দেয়া মৃতদেহ নড়ে উঠল। কম্বলের ফাঁক দিয়ে ছোট্ট একটা মুখ বের হয়ে এলো। ডারউইন সাহেবের থিওরি যে সত্যি তার মুখ দেখেই বোঝা যাচ্ছে। অবিকল বেবুনের মতো মুখ। চিকচিক করার বদলে সে আনন্দিত গলায় চেঁচিয়ে উঠল, হিমু ভাই, আমারে চিনেছেন ? আমি ক্ষুর আসলাম।

চিনেছি।

র‍্যাবের হাতে ধরা খাইছি। প্রথমে ভাবছি ক্রসফায়ারে ফেলব। মতলব সেই রকমই ছিল। চাইপ্যা পায়ে ধরনের কারণে মাফ পাইছি।

ক্ষুরের কাজ কি চালিয়ে যাচ্ছ ?

আপনে আমারে একবার ডলা দিলেন, এরপর থাইকা ক্ষুর অফ। এখন ঠগবাজি করি। একদিনে তো আর ভালো মানুষ হওয়া যায় না। ধাপে ধাপে হইতেছি। খারাপ একদিনে হওয়া যায়, ভালো হইতে টাইম লাগে। আপনের পাশে এই শাদা বান্দরটা কে ?

প্রফেসর। ইংরেজির প্রফেসর।

প্রফেসর সাবও ধরা খাইছে! শান্তি পাইলাম। কেউ বিপদে পড়ছে দেখলে এমন শান্তি পাই। এর কারণটা কী হিমু ভাই ?

এর কারণ হচ্ছে, তোমার মতোই একজন পৃথিবীতে আছে যে কাউকে বিপদে পড়তে দেখলেই কষ্ট পায়। তুমি হচ্ছ এ পজেটিভ আর ঐ লোক হচ্ছে এ নেগেটিভ। দুইয়ে যোগফল শূন্য। বুঝেছ ?

অবশ্যই বুঝেছি— যত ভালো তত মন্দ। হিমু ভাই, এই শাদা চামড়াটার পাছায় একটা লাথি মারতে ইচ্ছা করতাছে।

মারতে ইচ্ছা করলে মারো।

ডা. ফার্গুসেন ঘাড় ঘুরিয়ে আমার দিকে তাকালেন। তিনি প্রতিটি বাংলা বাক্য বুঝতে পারছেন, কাজেই আমার দিকে বিস্মিত হয়ে তাকানোর অধিকার তাঁর আছে। আচ্ছা বিস্মিতের বিপরীতটা কী ?

| | |
|---|---|
| ভালোবাসা | ঘৃণা |
| রাগ | শান্তি |
| দুঃখ | আনন্দ |

বিস্ময়ের উল্টাটা কী ? ভাবলেশহীন।

বিস্মিত চোখের বিপরীত কি ভাবলেশহীন চোখ ?

ফার্গুসেন আমার দিকে তাকিয়ে ভীত গলায় বললেন, এ কে ?

আমি বললাম, স্যার এর নাম আসলাম। ক্ষুরের কাজের বিশেষ নৈপুণ্যের জন্যে তাকে এখন সবাই চিনে ক্ষুর আসলাম হিসেবে। ক্ষুর এখন তার টাইটেল।

ক্ষুরের কাজ মানে কী ?

ক্ষুরের প্রধান কাজ দাড়িগোঁফ কামানো, মাথা কামানো, তবে আসলাম অন্য কাজে ব্যবহার করত। ছিনতাইয়ের সময় সে পেটের ভিতর ক্ষুর ঢুকিয়ে দিত।

কেন ?

ঐটাই তার আনন্দ।

ফার্গুসেন চোখ বড় বড় করে ক্ষুর আসলামের দিকে তাকালেন। আসলাম হেসে ফেলল। হ্যান্ডশেকের জন্যে ফার্গুসেনের দিকে হাত বাড়াল। ভদ্রলোক ভয়ে আঁতকে উঠলেন।

আসলাম বলল, আপনে বাংলা ভাষা ভালো জানেন, এই জন্যে হ্যান্ডশেক করতে চাই। আমার মায়ের ভাষা যে জানে আমার কাছে তার ভালো কদর।

ফার্গুসেনকে হ্যান্ডশেক করতে হলো। তাঁর চোখে রাজ্যের বিভীষিকা। ক্ষুর আসলাম ফার্গুসেনের দিকে ঝুঁকে এসে বলল, ক্ষুরের কাজ করলেও আমার মধ্যে ধর্ম ছিল। কোনো মেয়েছেলের পেটে ক্ষুর ঢুকাই নাই।

হাজতের দরজা খোলা হচ্ছে। দরজার ওপাশে ওসি সাহেব কঠিন চোখে আমার দিকেই তাকিয়ে আছেন।

হিমু!

জি স্যার।

এইবার আমি তোমাকে ছাড়ব না। আমার সন্তানের কসম, তোমার শেষ দেখে নিব।

মেরে ফেলবেন ?

ওসি সাহেব কুইনাইন ট্যাবলেট মুখে দিয়ে আছেন এমন ভঙ্গি করে পাশে দাঁড়ানো কনস্টেবলকে বললেন, হ্যান্ডকাফ দিয়ে একে আমার কাছে নিয়ে আসো।

কম্বল জড়িয়ে শুয়ে থাকা ক্ষুর আসলাম বলল, ওসি সাব, হিমু ভাইয়ের কিছু হইলে আপনেরে কিন্তু কাঁচা খাইয়া ফেলামু।

ওসি সাহেব নির্বিকার ভঙ্গিতে বললেন, ক্ষুর আসলামকে আরেক দফা মাইর দেও।

আমি এবং ড. ফার্গুসেন ওসি সাহেবের খাস কামরায় বসে আছি। তাঁকে দেখে মনে হচ্ছে, তিনি মাইক্রোওয়েভ ওভেনের ভেতর বসে আছেন। তাঁর শরীরে যত পানির অণু আছে সব কয়টা একসঙ্গে উত্তাপে ছটফট করছে। বড় করে হা করলে তাঁর মুখ দিয়ে আগুন বের হবে বলে আমার বিশ্বাস। তিনি বললেন, তুমি এই প্যাঁচটা কেন লাগিয়েছ ? একজন সম্মানিত আমেরিকান সিটিজেনকে হাজতে ঢুকিয়েছ ?

আমি বললাম, হাজতে তো আমি ঢুকাই নি। পুলিশ ঢুকিয়েছে।

তুমি ব্যবস্থা করেছ। আমি থানায় উপস্থিত থাকলে এই ঘটনা ঘটতে দিতাম না। এখন আমার চাকরি যায় যায় অবস্থা। কোন কোন জায়গা থেকে আমার কাছে টেলিফোন এসেছে এটা জানো ?

অ্যাম্বেসি থেকে যে একটা এসেছে তা বুঝতে পারছি।

ওসি সাহেব বললেন, আমার তো মাথাতেই আসছে না সেকেন্ড অফিসার কী করে কোনো খোঁজখবর না নিয়ে একজন আমেরিকান সিজিজেনকে হুট করে ঢুকিয়ে দিল ?

আমি বললাম, আমেরিকান সিটিজেনকে হাজতে ঢুকানো যাবে না এমন তো কোনো আইন নেই। ওরা অনেক বাঙালিকে কি হাজতে ঢুকায় না ? তাদের মধ্যে অনেকেই থাকে নিরপরাধী, ঘটনার শিকার। ড. ফার্গুসেনও ঘটনার শিকার হয়েছেন, আর কিছু না।

হাজত থেকে বিকট চিৎকার ভেসে আসছে। মনে হয় ক্ষুর আসলামকে বানানো হচ্ছে। ওসি সাহেব তাঁর ঘরের দরজা ভিড়িয়ে দিলেন। তিনি ভদ্রলোক মানুষ। ভদ্রলোকরা অন্যের আর্তনাদ সহ্য করতে পারে না।

হিমু, এখন তুমি ঝেড়ে কাশবে। যদি ঝেড়ে না কাশ, আমি কাশির ব্যবস্থা করব। আমি পয়েন্ট বাই পয়েন্ট আগাচ্ছি। তুমি গাড়ি চুরি করেছ কেন ?

আজ আমার বিয়ে। গাড়িতে করে বিয়ে করতে যাব বলে গাড়ি চুরি করেছি। এই গাড়ি যার সেখানেই আমি বিয়ে করতে যাচ্ছি। কনে ঐ বাড়িতে। কোনো গাড়িচোর নিশ্চয়ই এই কাজ করবে না।

যার গাড়ি তাকে তুমি চেন ?

উনি আমার খালু হন। অবশ্যই চিনি। তিনি এত দামি গাড়ি আমাকে বিয়েতে ব্যবহার করতে দেবেন না— তাই তাঁকে না বলে নিয়েছি।

তোমার কথার আগামাথা কিছুই মেলাতে পারছি না। তুমি কাকে বিয়ে করছ ?

ড. ফার্গুসেনের মেয়েকে।

এই আমেরিকানের মেয়ে ?

জি। উনি ড. ফার্গুসেন, ইংরেজি সাহিত্যের অধ্যাপক।

তার মেয়ের বিয়ে হচ্ছে তোমার সঙ্গে ?

ইয়েস স্যার। আপনার এবং পারুল ভাবি দু'জনেরই বিয়েতে দাওয়াত। ক্ষুর আসলামকে যদি বরযাত্রী হিসেবে নিতে পারি খুবই খুশি হবো।

দাঁড়াও তোমার খুশি আমি বের করছি।

বরযাত্রী যেতে না চাইলে তো জোর করে নিতে পারব না। শুধু যদি ফুল টুল দিয়ে গাড়িটা সাজাবার ব্যবস্থা করে দেন। গাড়ি সাজানোর টাকা আমি দিতে পারছি না। হাত খালি। শুধু হাত খালি না, হাত-পা সবই খালি।

ওসি সাহেব বিড়বিড় করে বললেন, তোমাকে আমি এমন শিক্ষা দেব যে জীবনে কখনো প্যাঁচ খেলা খেলবে না। প্যাঁচ খেলা আমি পছন্দ করি না। যে-ই প্যাঁচ খেলবে তারই আমি চৌদ্দটা বাজিয়ে দেব।

স্যার পারবেন না। আসল প্যাঁচ যিনি খেলেন তাঁকে God বলা হয়। উনি যখন খেলাটা দেখান, তখন বিস্মিত হয়ে আমাদের খেলা দেখতে হয়।

ওসি সাহেব চুপ করে গেলেন। God-এর প্যাঁচখেলা কথাটায় তিনি সামান্য থমকে গেছেন।

আমি বললাম, স্যার, আর একটা কথা বলি?

চুপ! কোনো কথা না।

খালু সাহেবের গাড়িটা সুন্দর করে ফুলটুল দিয়ে সাজিয়ে দিলে আপনার জন্যে শুভ হবে। কারণ বরযাত্রী যে থানা থেকে যাবে এ বিষয়ে সন্দেহ নেই।

ওসি সাহেব ফার্গুসেনকে বললেন, এই ছেলের কথা কি সত্যি?

ফার্গুসেন বললেন, কোনটা সত্যি কোনটা মিথ্যা সব এলোমেলো হয়ে গেছে। আমি খুব খুশি হবো আপনি যদি আমাকে এক কাপ কফি খাওয়াতে পারেন।

ওসি সাহেব ঘর থেকে বের হয়ে গেলেন। সম্ভবত কফির ব্যবস্থা করতে।

ওসি সাহেবের বিদায় এবং খালু সাহেবের প্রবেশ একই সঙ্গে হলো।

তিনি এখন তাকিয়ে আছেন আমার দিকে। তাঁর চোখ দিয়ে আগুন ঝরছে। তাঁর চোখের এক ফুটের কাছে দেয়াশলাইয়ের কাঠি ধরলে অবশ্যই সেই কাঠি জ্বলে উঠবে।

ফার্গুসেন আনন্দিত গলায় বললেন, হ্যালো।

বন্ধুর গলার হ্যালো তাঁকে স্পর্শ করল না। তিনি আমার দিকেই তাকিয়ে আছেন। এর মধ্যে ওসি সাহেবও চলে এসেছেন। তাঁর দৃষ্টি খালু সাহেবের দিকে। আমি বললাম, খালু সাহেব চা খাবেন? এরা লেবু চা খুব ভালো বানায়।

খালু সাহেব বড় করে নিঃশ্বাস নিলেন। ফার্গুসেনের দিকে এক পলক তাকিয়ে দৃষ্টি ফিরিয়ে নিলেন ওসি সাহেবের দিকে। চোখমুখ কুঁচকে বললেন— এই গাড়িচোরটার শরীরের প্রতিটি হাড্ডি কি মেরে পাউডার বানানো সম্ভব? খরচ আমি দেব। যে গাড়িটা আপনারা উদ্ধার করেছেন সেটা আমার গাড়ি।

ওসি সাহেব বললেন, প্রপার ট্রিটমেন্ট দেয়া হবে। আপনি এই বিষয়ে চিন্তা করবেন না।

আমার ড্রাইভার মকবুল কি ধরা পড়েছে?

এখনো ধরা পড়ে নাই, তবে পড়বে। তার বাড়িতে পুলিশ চলে গেছে।

খালু সাহেব আরামের নিঃশ্বাস ফেললেন।

ওসি সাহেবের খাস কামরায় এখন আমরা তিনজন। খালু সাহেব এবং তার বন্ধু চেয়ারে বসেছেন। আমি দাঁড়িয়ে আছি। মূল নাটক শেষ হয়ে গেছে। নাটকের পাত্রপাত্রীরা কে কোথায় যাবে তা নির্দেশক ঠিক করবেন। জীবননাটকের নির্দেশক একেক সময় একেকজন হন। এখন থানার ওসি সাহেব। তিনি এই মুহূর্তে চূড়ান্ত ব্যস্ত। উপর থেকে বিশেষ কেউ টেলিফোন করেছে। ওসি সাহেবকে প্রতি সেকেন্ডে একবার করে— 'স্যার, ইয়েস স্যার, অবশ্যই স্যার' বলতে হচ্ছে।

ওসি সাহেবের চেহারায়, গলার স্বরে, নিচু হয়ে কথাবলার ভঙ্গিতে তেলতেলে ভাব চুইয়ে চুইয়ে পড়ছে।

খালু সাহেব এবং ফার্গুনেস প্রীতি সম্ভাষণ জাতীয় কিছু শুরু করেছিলেন, ওসি সাহেবের ইশারায় তারাও চুপ করে গেলেন।

একসময় টেলিফোন পর্ব শেষ হলো। ওসি সাহেব কপালের ঘাম মুছতে মুছতে বললেন, স্বরাষ্ট্রমন্ত্রী। আমার চাকরি মনে হয় গেছে।

খালু সাহেব বললেন, আপনার চাকরি নিয়ে আপনি চিন্তা করুন। এখন আমাদের যেতে দিন। অনেক হয়েছে।

ওসি সাহেব বললেন, কিছুক্ষণ অপেক্ষা করতে হবে। বিদেশী অতিথির জন্যে কফি আনতে লোক গেছে, এখনি চলে আসবে।

খালু সাহেব বললেন, বিদেশী অতিথি নিয়ে চিন্তা করতে হবে না। অতিথি আমার ঘনিষ্ঠ বন্ধু। সে আমার বাড়িতে গিয়ে কফি খাবে।

ওসি সাহেব বিব্রত গলায় বললেন, কিছুক্ষণ অপেক্ষা করতেই হবে— আপনার গাড়িটা ফুলের দোকানে পাঠানো হয়েছে। ফুল দিয়ে সাজাবে।

খালু সাহেব হতভম্ব গলায় বললেন, গাড়ি ফুল দিয়ে সাজানো হচ্ছে কেন?

ওসি সাহেব জবাব দিলেন না। আমার দিকে হতাশ চোখে তাকিয়ে থাকলেন।

ফার্গুনেস নিচুগলায় (ইংরেজিতে) খালু সাহেবকে বললেন, হিমু নামের এই ছেলে ওসি সাহেবকে প্রভাবিত করে গাড়ি সাজানোর কাণ্ডটা ঘটিয়েছে।

খালু সাহেব বিড়বিড় করে বললেন, আমার জানামতে, হিমু হচ্ছে ঢাকা শহরের সবচে' বড় ক্রিমিন্যাল। একে নিয়ে আপনারা কী করবেন সেটা আপনাদের বিবেচনা। আমার ভার্ডিক্ট আমি দিয়ে গেলাম। ড. ফার্গুনেসও ইংরেজি ভাষায় যে-কথা বললেন, তার কাছাকাছি তর্জমা হচ্ছে— আমার ধারণা সে একজন 'সাইকোপ্যাথ'। তার উত্তম মানসিক চিকিৎসা প্রয়োজন।

কফি চলে এসেছে। ফ্ল্যাস্কে করে এসেছে। দু'টা কাপে দু'জনকে কফি দেয়া হয়েছে। টাটকা কফির সুন্দর গন্ধ বের হয়েছে। থানার পরিবেশের সঙ্গে কফির গন্ধ যায় না। তারপরেও ভালো লাগছে। আমি ওসি সাহেবের দিকে তাকিয়ে বিনীত গলায় বললাম, স্যার ফ্ল্যাস্কে অনেক কফি রয়ে গেছে। আমাকে এক কাপ দিতে বলুন। পেপারে দেখেছি কফি হার্টের অসুখের জন্যে ভালো।

ওসি সাহেব কঠিন চোখে তাকালেন। বিড়বিড় করে কী একটা গালিও দিলেন। কথা জড়িয়ে যাওয়ায় পরিষ্কার বোঝা গেল না।

ফার্গুনেস ওসি সাহেবকে বললেন, তাকে এক কাপ কফি দিন। আমি অনুরোধ করছি।

ওসি সাহেব কাকে যেন কাপ আনতে বললেন। ফার্গুনেস দ্বিতীয় অনুরোধ করলেন, তূর্য ছেলেটির বিরুদ্ধে তেমন কোনো চার্জ যদি না থাকে তাহলে তাকেও ছেড়ে দিন। আমি তাকে সঙ্গে করে নিয়ে যাব।

ওসি সাহেব বড় করে নিঃশ্বাস ফেলে এমনভাবে মাথা নাড়লেন যার অর্থ ব্যবস্থা করছি।

আমাদের এই ওসি সাহেব সাইন ল্যাঙ্গুয়েজে বিশেষ দক্ষ।

'জীবন যখন শুকায়ে যায় করুণাধারায় এসো।'

করুণাধারা ব্যাপারটা কী ? করুণাধারা কি শুধুই মনুষ্য সম্প্রদায়ের জন্যে প্রযোজ্য ? অন্য প্রাণীকুলের কি করুণাধারা বলে কিছু আছে ? একটা গরু কিংবা বেগম খালেদা জিয়ার প্রিয় ব্ল্যাক বেঙ্গল গোটের জীবন কি কখনো শুকিয়ে যায় ? তখন কি তাদেরও করুণাধারার প্রয়োজন হয় ?

হাজতের দেয়ালে হেলান দিয়ে এই ধরনের জটিল চিন্তাভাবনা করছি। আমার পায়ের কাছে কম্বল মুড়ি দিয়ে ক্ষুর আসলাম পড়ে আছে। দ্বিতীয় দফার কম্বল শাস্তি (কম্বল দিয়ে মুড়িয়ে লাঠিপেটা) তাকে কাবু করে ফেলেছে। সে সাড়াশব্দ করছে না।

হাজতের তৃতীয় ব্যক্তি ড্রাইভার মকবুল। পুলিশ তার মামার বাড়ি থেকে তাকে ধরে এনেছে। পুলিশের মার খেয়ে সে বিপর্যস্ত। শরীরের কলকব্জা নড়ে গেছে। মনের কলকব্জাও কিছু উলট-পালট হয়ে গেছে। সে আমাকে চিনতে পারছে না। আমি বললাম, মকবুল! খবর কী ?

মকবুল চোখ বড় বড় করে বলল, আপনি কে ? ঘটনাটা কী ? এইটা কোন জায়গা ? ভাই সাহেব, আপনার হাতে ঘড়ি আছে ? কয়টা বাজে বলেন দেখি।

মকবুলের এলোমেলো কথাকে গুরুত্ব দিলাম না। প্রাথমিক শক কেটে গেলে সব ঠিক হয়ে যাবে। তার এখন দরকার পাঁচ-দশ মিনিটের আরামের ঘুম। ঘুমের মধ্যে শরীর তার নষ্ট কলকব্জা ঠিক করে ফেলবে।

আমি চোখ বন্ধ করে আছি। বাইরে বৃষ্টি হচ্ছে। থানার লাগোয়া পুলিশ ব্যারাকের ছাদ টিনের বলে বৃষ্টির ঝমঝম শব্দ কানে আসছে। হাজতে তূর্য থাকলে তাকে বলতাম, 'ঝরঝর মুখর বাদল দিনে' গানটা গাও তো শুনি। হাজতে রবীন্দ্রসঙ্গীতের আসর হোক।

তূর্য নেই। ড. ফার্গুসেন তাকে সঙ্গে করে নিয়ে গেছেন। হাজতের লোহার শিকের দরজা দিয়ে ঠাণ্ডা হাওয়া এবং মাঝেমধ্যে বৃষ্টির ছাট আসছে। শীত শীত

লাগছে। প্রচণ্ড গরমের দিনে শীত শীত লাগা আনন্দময় অভিজ্ঞতা। আরামে আমার চোখের পাতা বন্ধ হয়ে আসছে। সারা শরীরে অতি আরামদায়ক আলস্য।

হিমু, ঘুমুচ্ছ নাকি ?

আমি চোখ মেলে দেখি রবীন্দ্রনাথ। হাজতের ভেতর আলখাল্লা পরা কবিগুরুকে খুব বেমানান লাগছে।

বিয়েতে বরযাত্রী হবার জন্যে নিমন্ত্রণ দিয়ে নাক ডেকে ঘুমাচ্ছ। বিয়ে কখন ?

রাত দশটায় হওয়ার কথা।

আমরা রওনা দেব কখন ? যাব কিসে করে ? বজরায় ?

এখানে বজরা পাবেন কোথায় ? জীপ গাড়ির ব্যবস্থা করে ছিলাম, সেটাও নেই।

আগে বললে পদ্মার চর থেকে আমার হাউসবোটা নিয়ে আসা যেত। কম্বলমুড়ি দিয়ে শুয়ে আছে কে ?

আসলাম। আপনার টাইটেল গুরুদেব, ওর টাইটেল ক্ষুর।

কোঁ কোঁ শব্দ করছে কেন ?

ওসি সাহেবের হুকুমে ওকে মেরে তক্তা বানানো হয়েছে।

বলো কী ? ভীষণ অন্যায়।

অন্যায় তো অবশ্যই, তবে ছোট অন্যায়। ওসি সাহেব ছোট মানুষ। ছোট মানুষরা ছোট অন্যায় করে। বড় মানুষরা করে বড় অন্যায়। আপনি যেমন মানুষ বড়, আপনার অন্যায়ও বড়।

রবীন্দ্রনাথ ঠাকুর হতভম্ব গলায় বললেন, আমি বড় অন্যায় কী করলাম ?

হিরোশিমা নাগাসাকিতে অ্যাটম বোমা ফেলে এতগুলি মানুষ মারলেন, এটা বড় অন্যায় না ?

আমি আবার কখন অ্যাটম বোমা ফেললাম ? শোন ছোকরা, তোমার তো মনে হয় মস্তিষ্ক বিকৃতি ঘটেছে।

গুরুদেব, আপনি আমেরিকান প্রেসিডেন্টকে অ্যাটম বোমা আবিষ্কারের প্রয়োজনীয়তা ব্যাখ্যা করে একটা চিঠি লিখেছিলেন।

হ্যাঁ তা লিখেছিলাম। আইনস্টাইন আসলে সমস্যা করেছেন। আইনস্টাইন আমাকে এই ধরনের একটা চিঠি লিখতে অনুরোধ করেছিলেন। আমি উনার অনুরোধ ফেলতে পারি নি। তুমি নিশ্চয়ই জানো, আমি কারো অনুরোধই

ফেলতে পারি না। তুমি বরযাত্রী হবার জন্যে আমাকে অনুরোধ করেছ, আমি রাজি হয়ে গেছে। উপস্থিত হয়েছি। ঠিক না?

জি ঠিক।

সুলেখা কালি বলে একটা কালি ছিল, তারা একবার আমাকে অনুরোধ করল সুলেখা কালির একটা বিজ্ঞাপন লিখে দিতে। আমি লিখে দিয়েছি। আমি কালির বিজ্ঞাপন লিখছি, এটা হাস্যকর না?

কী বিজ্ঞাপন লিখেছিলেন?

সুলেখা কালি। এই কালি কলঙ্কের চেয়েও কালো।

হিরোইনের একটা বিজ্ঞাপন কি স্যার লিখে দেবেন?

কিসের বিজ্ঞাপন?

হিরোইন। নেশার দ্রব্য। এই নেশা বসন্তের চেয়েও বাসন্তী— এই ধরনের কিছু।

ড্রাইভার মকবুল 'পানি পানি' বলে চিৎকার করছে। কবিগুরু বললেন, এর কী হয়েছে?

এও পুলিশের ডলা খেয়েছে।

আমি বেশিক্ষণ এখানে থাকতে পারছি না। আমার রুচিতে বাঁধছে। আমি কোনো একটা গাছের নিচে দাঁড়িয়ে বৃষ্টি দেখি। যাবার সময় তুমি আমাকে ডেকে নিয়ে যেও। আশেপাশে কোনো কদম গাছ আছে? বৃষ্টি দেখতে হয় কদম্বতলে দাঁড়িয়ে।

কবিগুরু চলে গেলেন। আমি চোখ মেলে দেখলাম, মকবুল আমার দিকে চোখ বড় বড় করে তাকিয়ে আছে।

আমি বললাম, মকবুল ভালো আছ?

মকবুল বলল, আমি আগে আপনেরে চিনতে পারি নাই। এখন চিনেছি।

তোমাকে তো মেরে ভর্তা বানিয়ে ফেলেছে। মেরেছে কখন?

যখন ধরেছে, তখন মেরেছে। গাড়িতে তুলেও মেরেছে।

ক্ষুর আসলাম কম্বলের ভেতর থেকে মাথা বের করে বলল, ঐ মাইর কিছুই না। আসল মাইর হইব রাইত বারোটার পরে।

মকবুল হতাশ গলায় বলল, আবার?

ক্ষুর আসলাম উদার গলায় বলল, বুদ্ধি শিখায়া দিব। বুদ্ধিমতো কাজ করবেন, দেখবেন ব্যথা কত কম। তবে মাইর খাওয়ার মধ্যেও আনন্দ আছে।

আমি বললাম, মার খাওয়ার মধ্যে আনন্দটা কী ?

ক্ষুর আসলাম বলল, মাইর খাওনের সময় মনে হয় কিছুক্ষণের মধ্যে মাইর বন্ধ হবে। এইটা চিন্তা কইরা আনন্দ। মাইর যখন বন্ধ হয় তখন আনন্দ। ভালো মাইর দিলে সুনিদ্রা হয়। এইটাও আনন্দ।

মকবুল বলল, ভাইজান, আপনের সামনে একটা সিগ্রেট খাব ? বড়ই অস্থির লাগতেছে।

ক্ষুর আসলাম বলল, খাও খাও। হাজতে মুরব্বি কেউ নাই— সব সমান।

মকবুল আমাকে আড়াল করে সিগারেট ধরিয়েছে। সিগারেটে লম্বা টান দিয়ে বলল, আল্লাহপাকের বিধান বোঝা দায়। আপনের আইজ বিবাহের দিন ধার্য ছিল। আপনে আছেন হাজতে।

আমি বললাম, আল্লাহপাকের বিধান বোঝার চেষ্টা না করাই ভালো। যারাই চেষ্টা করেছে, তারাই ধরা খেয়েছে। আইনস্টাইনের মতো লোক বিধান বোঝার চেষ্টা করতে গিয়ে চিৎ হয়ে পড়ে গেল।

ক্ষুর আসলাম বলল, বিষয়টা বুঝায়ে বলেন। আইনস্টাইন লোকটার পরিচয় কী ? কী বিত্তান্ত ?

উনার পরিচয় হচ্ছে উনি পৃথিবীর সবচে' বড় পদার্থবিদ।

পদার্থবিদ জিনিসটা কী ?

যারা জগতের নিয়মকানুন নিয়ে গবেষণা করে, চিন্তা-ভাবনা করে, তারাই পদার্থবিদ।

ক্ষুর আসলাম আগ্রহ নিয়ে বলল, জগতের নিয়মকানুন নিয়া তো আমিও চিন্তা-ভাবনা করি। খারাপ চিন্তা মানুষের মধ্যে দিনে কম আসে, রাইতে বেশি আসে। এইটার কারণ কী তা নিয়া অনেক চিন্তা করেছি।

তাহলে তুমিও পদার্থবিদ।

ক্ষুর আসলাম তৃপ্তি নিয়ে বলল, আপনার মুখে আমার বিষয়ে একটা ভালো কথা শুনলাম। এখন আইনস্টাইন সাহেবের চিৎ হইয়া পড়ার ঘটনাটা বলেন। গল্পগুজবে রাইতটা পার করি। আমারে মনে হয় রাইতে আর মারবে না।

বিজ্ঞানের ক্লাস শুরু হলো থানা-হাজতে। শ্রোতা দুইজন। দুইজনের মধ্যে একজন ক্ষুর আসলাম, সে খুব আগ্রহ নিয়ে শুনছে। মকবুল ঝিমাচ্ছে। মাঝে মাঝে থুথু ফেলছে। থুথুর সঙ্গে রক্ত যাচ্ছে। সে বিস্ময়ের সঙ্গে রক্ত দেখছে। একবার শুধু নিচুগলায় বলল, ভাইজান, যক্ষ্মা হয় নাই তো ?

আমি তাকে আশ্বস্ত করেছি। বলেছি মারের চোটে যক্ষ্মা হবার সম্ভাবনা খুবই কম। সে আমার কথায় তেমন ভরসা পায় নি বোঝা যাচ্ছে। বিজ্ঞানের বক্তৃতাতেও তার আগ্রহ কম দেখা যাচ্ছে।

মন দিয়ে শোন কী বলছি। আলোর গতিবেগ সেকেন্ডে এক লক্ষ ছিয়াশি হাজার মাইল। এই বিষয়টাই আইনস্টাইনকে চিত করে ফেলে দিল। তিনি জানেন, এটা জগতের বিধান। তিনি জানেন না, এই বিধানের কারণটা কী ? আলোর গতি যদি এর চেয়ে কিছু বেশি হতো, তাহলে কী হতো ? আর যদি কম হতো, তাতেই বা সমস্যা কী হতো ? আলোর গতি যদি সেকেন্ডে এক লক্ষ ছিয়াশি হাজার মাইল না হয়ে তিন লক্ষ মাইল হতো, তাহলে কি অন্য সব বিধানও পাল্টাতে হতো ? আসলাম, বুঝতে পারছ ?

আসলাম বলল, পরিষ্কার বুঝেছি। খালি একটা জিনিস বুঝতেছি না— আলু একটা তরকারি। এর দামের উঠানামা তো হইবই। এইটা নিয়া এত চিন্তার কী আছে! যে বৎসর ফলন বেশি, সেই বৎসর দাম কম। যে বৎসর ফলন নাই, সে বৎসর দাম বেশি।

আসলামকে আলো এবং সবজি আলুর তফাৎ বুঝাব, না বক্তৃতা চালিয়ে যাব বুঝতে পারছি না। বক্তৃতা চালিয়ে যাওয়াই মনে হয় শুভ হবে।

পকেটের মোবাইল টেলিফোন মিঁউ মিঁউ করছে। আমি টেলিফোন ধরেই খালার কান্না কান্না গলা শুনলাম। খালা বললেন, তোর ভাগ্যটা এত খারাপ কেন ?

আমি বললাম, আমার ভাগ্য খারাপ, যাতে অন্য একজনের ভাগ্য ভালো হয়। ভাগ্যের ব্যাপারেও সাম্যাবস্থা নীতি কাজ করে। মন্দ ভাগ্য সমান সমান ভালো ভাগ্য।

খালা ধকম দিয়ে আমাকে থামিয়ে দিয়ে বললেন, এই মাত্র রেনুর বিয়ে হয়ে গেছে।

ভালো তো!

ড্রাগ অ্যাডিক্টটাকে বিয়ে করেছে। আমি ছাড়া সবাই খুশি। তোর খালুও খুশি।

স্বামী-স্ত্রীর খুশিটাই ধর্তব্য। অন্যদের খুশি-অখুশি কোনোটাই ধর্তব্য না। রেনু কি খুশি ?

খুব খুশি। আনন্দে একটু পরপর চোখ দিয়ে পানি পড়ছে।

রেনুর মা কি বিয়েতে এসেছেন ?

এসেছেন। তাঁর শরীরটা খুব খারাপ। আমার বিছানায় শুয়ে আছেন।

তিনি কি খুশি ?

তার খুশি-অখুশি বুঝতে পারছি না। সে বলেছে— আমার মেয়ের বিয়ের ব্যবস্থা হিমু করে দিয়েছে। এই বিয়ে অবশ্যই শুভ হবে। শরীর খারাপ হলে যা হয়, উল্টাপাল্টা কথা। তুই কোন দুঃখে অন্য ছেলের সঙ্গে বিয়ে ঠিক করবি ?

উনার সঙ্গে কি একটু কথা বলা যাবে ?

তুই ধরে থাক আমি দিচ্ছি।

রেনুর মা টেলিফোন ধরতেই আমি বললাম, 'জীবন যখন শুকায়ে যায়, করুণাধারায় এসো।'— এই কথাটার মানে কি আপনি আমাকে বুঝিয়ে দেবেন ?

ভদ্রমহিলা বিড়বিড় করে বললেন, বাবা, তোমাকে ধন্যবাদ। তূর্যকে আমার পছন্দ হয়েছে। তুমি ওদের জন্যে কোনো এক ফাঁকে মঙ্গল কামনা করো।

হাজতের প্রায়ান্ধকার ঘরে আমরা তিনজন প্রার্থনার জন্যে তৈরি হয়েছি। ক্ষুর আসলাম রাজি হচ্ছিল না। তাকেও রাজি করানো হয়েছে। পিথাগোরাস বলে গেছেন, তিন খুব শক্তিশালী সংখ্যা। তিন-এ আছে আমি, তুমি এবং সর্বশক্তিমান তিনি। সে জন্যেই ত্রিভুবন, ত্রিকাল এবং ত্রিসত্যি। কবুল বলতে হয় তিনবার। তালাক বলতে হয় তিনবার। পৃথিবীতে রঙও মাত্র তিনটা। লাল, নীল এবং হলুদ। বাকি সব রঙ এই তিনের মিশ্রণ।

আমরা বললাম, হে করুণাময়, তুমি রেনু এবং তূর্যের উপর করুণা বর্ষণ করো, যেন কখনো তাদের করুণাধারার অনুসন্ধানে যেতে না হয়।

—